15 唐代～五代
西元618～906年
[注音本]

全新 吳姐姐講歷史故事

吳涵碧◎著

目錄

【第333篇】白居易寫長恨歌。

在李白、杜甫之後，唐朝最具影響力的詩人，應該算是白居易了。他生於杜甫死後的三年。

白居易，字樂天，據説是秦朝大將白起的後代，書香門第，世代在朝爲官。他從小就比別的小孩子聰明，當他生下才六、七個月的時候，雖然還不會説話，但是已能認字。奶媽抱著他，走到屏風下面，指著『之』『无』二字，白居易心中默認；以後大人每次考他，考了幾百次，白居易都不會認錯。

白居易五、六歲的時候，開始學作詩；九歲之時，懂得作詩的聲韻。十五、六歲時，帶著詩文去見當時最有名的文學家顧況。

顧況學問很好，爲人卻極傲慢。他看了白居易三個字就笑著拿他的名字作文章，對他說：『長安物貴，居之不易。』意思是說，長安人才濟濟，想要出人頭地，可不是一件簡單的事。

等到顧況拜讀白居易所寫的〈賦得古原草送別〉之中有一句：『野火燒不盡，春風吹又生。』不禁翹起大拇指，誇一聲：『高明、高明。』馬上轉口道：『有文如此，居亦何難。』而且大爲開心道：『我本來以爲文章之道已經斷絕，現在可由你來繼承。』白居易這首詩，經過顧況的推薦，

釵留一股合一扇 釵擘
但教心似金鈿堅
臨別殷勤重寄詞
詞中有誓兩心知
七月七日長生殿
夜半無人私
在天願作比翼
在地願為連理枝
天長地久有時盡
此恨綿綿無絕期

立刻轟動京師。

白居易這次到了長安，看到京師的繁華，官冕的高昂，決定埋首準備功課投考進士。他晝夜苦讀，一直讀到『口舌成瘡，手肘成胝』，嘴唇舌頭都長了瘡，手肘也磨破生了厚繭。當白居易兩、三歲時，父親病逝，生活陷入困境。雖然他祖父、父親都在朝爲官，然而清廉自守，毫無積蓄。他有四個兄弟，兩個妹妹，有時竟然斷炊。他母親在這種狀況之下，除了養育子女外，還親自教他們讀書，循循善誘，而且從來不喝斥不杖罰，眞是一位偉大的中國典型慈母。

在唐德宗貞元十五年時，白居易終於完成心願，進士及第，擔任祕書省校書郎。這段時期，白居易與王質夫等人相交頗深。王質夫等認爲白居易才華出衆，勸他以唐玄宗與楊貴妃爲主題，作一首長詩，歌詠這一段纏綿悱惻的愛情故事。

於是白居易完成這首千古傳誦的偉大史詩，取名爲〈長恨歌〉，因爲最後一句是『天長地久有時盡，此恨綿綿無絕期』。這首詩把『在天願做比翼鳥，在地願爲連理枝』刻劃得太美了，此歌一出，風靡天下。不只童子歌女在唱，一般王公貴婦更是愛得要命。這首詩並且影響了日本文學。

白居易在這段時期之中，作品甚多。除了〈長恨歌〉外，還有許多精采的樂府及雜詩。這些詩流入宮中，唐憲宗看到了，十分欣賞，召入宮中不久，白居易參加制舉（皇帝舉行的考試）對策，以第二名及格，不久被任命爲左拾遺。左拾遺是諫官，官階不高，然而職位重要，杜甫也曾做過左拾遺。

白居易是位忠君愛國的人，受此恩寵，他決定仗義執言，爲國除奸，粉身碎骨以報國家。

唐憲宗曾經接受過白居易的上諫，免除江淮租稅，救濟人民流離之苦，同時釋放宮中宮女等；然而，唐憲宗卻不能接受白居易諫諍反對宦官吐突承璀率軍平定成德節度使叛亂。

唐朝爲防止軍將跋扈而有監軍制度（監軍就是監視軍隊，尤其要監視司令官），最初以御史監軍，後來改用宦官監軍。因爲人們對於自己生活上常接近的人比較容易產生信賴心理，而宦官可以自由地出入宮禁，與皇帝接近的機會自然遠較一般只能在殿堂朝謁皇帝的朝臣多，因此到了後來，改用宦官爲監軍。所以安史之亂時，堂堂大將郭子儀的頂頭上司竟然是宦官魚朝恩。

白居易來自鄉間，深知宦官對國家危害之大，因此上諫憲宗：『各個將領，必然不屑於隸屬宦官指揮之下，心中不甘豈能建立戰功？』

可是，唐憲宗聽不進去，白居易在天子面前還是不肯讓步，這不是白居易不識好歹，而是中國讀書人的歷史責任感驅使他堅持：『陛下錯了！』這話一說，唐憲宗臉色大變，怒斥道：『白居易是朕提拔的，所以他才斗膽不聽從朕的旨意而堅持己見，朕已忍無可忍，非把他趕出朝廷不可。』幸虧翰林學士李絳爲白居易打圓場：『由於陛下開放言論自由的路徑，所以羣臣才敢在陛下面前暢論政治得失。假如爲這件事把白居易驅出朝廷，那等於是禁止臣子上諫，有損陛下盛德。』

唐憲宗當然還記得貞觀之治魏徵上諫的古訓，沒有對付白居易。後來白居易爲服母喪辭官，再入朝時，不再擔任左拾遺，改爲太子左贊善大夫。

這個時候，唐朝發生一件大事，宰相武元衡在大街上被殺（詳見〈裴度的氈帽〉篇），震驚朝廷。白居易不假思索，立刻上書，建議請急捕賊，以雪國恥。

事實上，後來唐憲宗是採取強硬立場，用裴度全力討伐吳元濟。然而，白居易卻因此而獲罪，怎麼會禍從天上來？

閱讀心得

【第334篇】

相逢何必曾相識。

白居易在元和十年，宰相武元衡被盜匪刺殺之後，立刻上書皇帝，建議即時逮捕兇手以重國法，而且必須限期破案。

然而當時的宰相認爲，這事與白居易無關。他不過是東宮官吏，並非諫官，竟然發言干涉朝廷，是一種越權行爲，大大不以爲然。

正好此時，又有許多白居易平日得罪的權貴將領也落井下石，乘機毀謗他。說他母親因爲看花墜井而死，他還做賞花詩及新井詩，有傷名教，這種不孝之人豈能在朝爲官？

中國人最重倫理，倫理之首在孝，因此，擡出這不孝的罪名是很嚴重的。雖然，白居易事母極孝，念念不忘慈訓，奈何欲加之罪，何患無辭。於是，白居易就因爲『言浮華、實無行、不可用』的罪名被憲宗外放爲刺史。不料，中書舍人王涯又進言：『白居易這種不孝之人不可去治理州郡。』於是憲宗再把他左遷爲江州司馬。

白居易接到命令，百感交集，倉促動身，孤孑一人在惱人的八月，離開京師，揮別家人。

司馬是一種閒官，唐朝以前稱之爲治中，是州郡的佐吏，不必按時上下班。江州附近名勝古蹟很多，因此白居易得以到處遊山玩水。

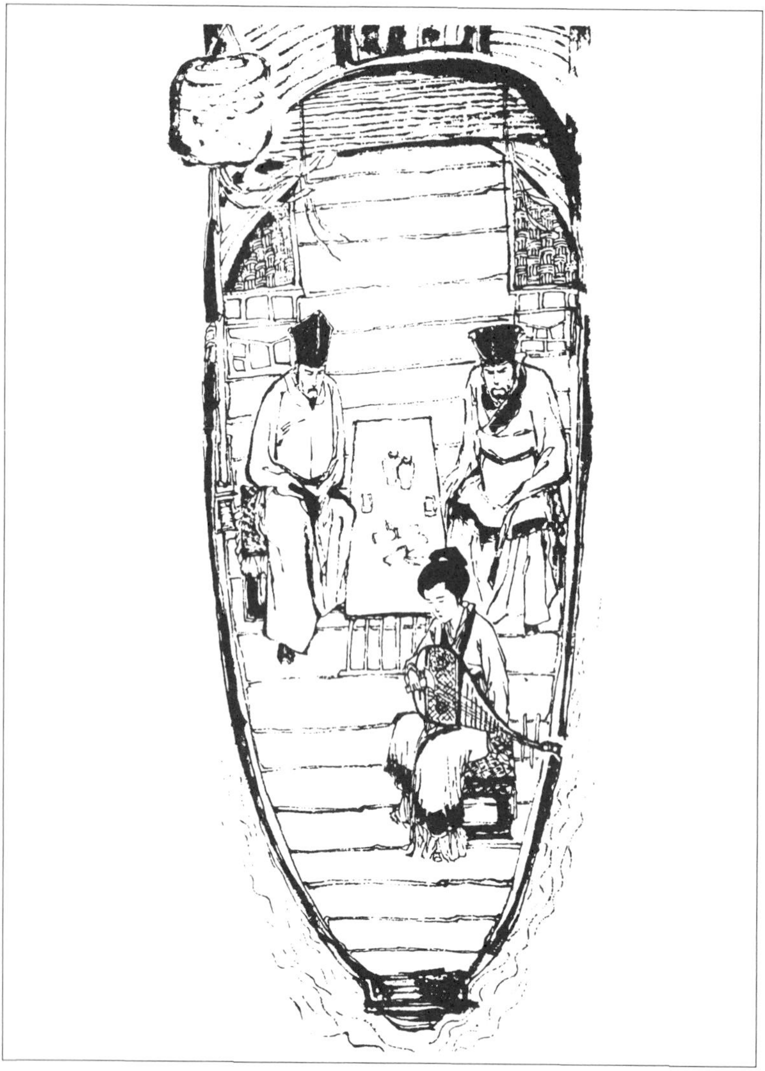

在白居易貶謫江州第二年（元和十一年秋天），有一天，送一個客人到渡口，『聞船中夜彈琵琶者』，他十分好奇，『尋聲暗問彈者誰』，弄了半天，『千呼萬喚始出來，猶抱琵琶半遮面』；原來是一個女子，用琵琶遮住臉，顯得格外神祕，於是大夥請她彈一曲，她的『大弦嘈嘈如急雨，小弦切切如私語，嘈嘈切切錯雜彈，大珠小珠落玉盤……』白居易這幾句形容得眞好，把聲音寫活了，因爲他本人也是一個妙解音律者。

原來彈琵琶者是個年老色衰的娼婦，『門前冷落車馬稀，老大嫁作商人婦，商人重利輕別離』；白居易不免慨嘆『同是天涯淪落人，相逢何必曾相識』。白居易想到自己一片耿耿忠心，落得臥病他鄉，與琵琶女的漂泊憔悴，又有何異。將心比心，難怪『座中泣下誰最多，江州司馬青衫濕』，青衫是唐朝職位低的官員所穿的衣服。

這首〈琵琶行〉，與〈長恨歌〉一般，千古傳誦，每一句都像是一幅美麗的情景。在白居易生時，已傳遍天下，連胡兒都會歌唱，眞正是中國古典詩中不可多得的傑作。

元和十五年，白居易奉召回京，召爲司門員外郎。他好高興啊，此後又可以成爲皇帝的近臣，又可以滿足讀書人爲天下百姓服務之壯志。所以他還是『重蹈覆轍』，還是知無不言，言無不盡。唐憲宗是還算不錯的皇帝，可惜憲宗之後的穆宗，是年幼無知的君主，對忠臣採取傲慢的態度。長慶二年，牛李黨爭日漸激烈（牛李黨爭的故事，我們以後會詳細說明）。白居易眼見朝政日非，臣子互相攻訐，宦官又猖狂，實在看不下去。天子既不能用，他遂請外放，擔任杭州刺史。

杭州是中國風景最美的地方，尤其是西湖，人們比之爲西施。然而西湖在六朝之前，並不太出名，爲什麼到了唐宋就特別美麗？第一位大功臣就是白居易。他濱湖築堤，更沿堤植柳，滿湖種蓮，把西湖打扮得清雅秀麗，嬌豔迷人。

不過，白居易修西湖主要並非是爲了景色美麗，而是爲的蓄水灌田，給予人們極大的福利。白居易在杭州做了一年多便以病辭職。他有一回，見到兩個樂師，在寒冬之中只穿著單衣，瑟瑟發抖，於心不忍，馬上爲自己『重衣複衾有餘溫』而心感不安，做了兩件皮衣送給兩位樂師。當他二人向白居易道謝時，他作了一首詩『如此小惠何足論，我有大裘君未見……』他這種心懷與杜甫『安得廣廈千萬間，大庇天下寒士俱歡顏』是一樣的。

白居易離開杭州的時候，杭州人民紛紛提著酒來送他，許多人更難過得放聲大哭。他在〈別州民〉的詩中寫道：『稅重多貧戶，農飢足旱田，唯留一湖水，與汝救凶年。』他自認爲做得不夠好，只爲人民留下一片湖水，可是這一湖水，不但給杭州人民帶來了萬世的福利，也爲中國建造了最美的風景區。

離開杭州之後，白居易又做過祕書監、刑部侍郎等官職。眼看當時的皇帝敬宗、文宗個個庸碌無能，他隨著年齡的增長，加上對時局的失望，他的晚年，逐漸轉變爲高人隱士的生活。

白居易與他弟弟白行簡，堂弟白敏中感情很好。他們時常一塊兒寄情於琴書山水，飲酒賦詩，自號爲『醉吟先生』。晚年常與香山寺廟裏的和尚相來往，又自號爲『香山居士』，時常一個月不進葷腥。

白居易的詩都相當淺白，世傳他每寫一首詩就要唸給一位老太婆聽，老太婆聽懂他才寫下來，否則就一再刪改。到了晚年，他把自己的作品，繕寫爲五部，親自編排校正，一共有三千八百四十首，可說是唐朝作品最爲豐富的作家。

總而言之，白居易用他那淺顯的文字、活潑的描寫、和諧的音律，使他每一首詩都膾炙人口。當我們讀到『同是天涯淪落人，相逢何必曾相識』，不能不佩服他的才華，足可撼天地而泣鬼神了。

閱讀心得

【第335篇】

元稹與鶯鶯傳。

說起西廂記，以及書中的主角張君瑞、崔鶯鶯與紅娘，幾乎每個中國人都知道這段悲歡離合的愛情故事。西廂記是元朝王實甫根據元稹所寫鶯鶯傳改編的雜劇。下面我們就要介紹元稹的故事。

元稹，字微之，河南人，生於唐代宗大曆年間。一般相信，這一段浪漫戀愛故事的男主角——張生，就是元稹自己；當然任何一個文學家所描述的情節，多多少少都有作者本人的經驗，至少，鶯鶯的一段故事，在正史中沒有記載。

鶯鶯傳中一開頭敘述，貞元年間，有個書生叫張生，性情溫和，英俊瀟灑。借住在普救寺之中，剛好有崔氏母女也住在這間廟裏。

崔家的老太爺過世了，崔氏母女要把靈柩運回長安。這時，有軍人叛亂，覬覦崔家財產，幸虧張生與地方上的將領是好朋友，派兵來保護普救寺。崔老夫人十分感激，叫出小女崔鶯鶯拜見。

崔鶯鶯嬌美艷麗，光輝動人，張生看得呆住了……以後發展出一段風流韻事。由於其中穿針引線的婢女名喚紅娘，因此後代把媒人稱爲紅娘。同時崔鶯鶯那種弱不勝衣、多愁善感、自哀自怨的美女，就成爲中國小說中女主角典型造形。

從鶯鶯傳（又名會眞記）寫張生與鶯鶯的故事，我們可以發現，唐朝人不但衣著大膽，風氣也是相當開放，與宋朝之後大不相同。

元稹八歲喪父，由他母親鄭氏撫養長大。由於家中清貧，無法上學讀書，由母親親自教導，可見鄭氏頗有才學。元稹十五歲考取明經科，二十四歲被任命爲祕書省校書郎。元和元年，改任爲左拾遺。

青年時代的元稹鋒芒畢露，才氣縱橫，既然做了左拾遺，當然不屑於庸庸碌碌素餐尸位。因此新官上任第一天，立刻上書論諫官之職責。此外他又建議東宮太子的老師，應該選擇正人君子。

接著，元稹上書論西北軍事，此乃國家邊政大事。唐憲宗看了他的上書，十分欣賞，特別單獨召見，詢問方略。此舉易引起朝臣嫉恨，在憲宗前面進讒言，元稹被外放為河南縣尉。同年，元稹的母親過世，他辭官服喪，喪期屆滿之後，拜為監察御史。

雖然經過這次教訓，元稹仍然忠實地執行監察御史的職責。元和四年，河南尹房式做了許多不法之事，元稹下令停止房式職務，然後才飛馬奏報朝廷。這樣處置過於專斷，因此，朝廷只罰房式減俸一個月，卻召元稹回京。

元稹還京之際，投宿在敷水驛中。當天稍晚，宦官劉士元也來到了驛站，嚷著要住上廳，也就是驛站之中最好的房子。

驛站的管理員稟告劉士元，上廳已為元稹所住。劉士元大怒，一腳踢開上廳的大門，元稹光著腳丫子逃到後面。劉士元作威作福慣了，拿著鞭子，對著元稹的臉猛抽。

結果，朝廷認爲元稹以一個青年後輩，竟然膽敢與上官拒抗，在元和五年把元稹降爲江陵府士曹參軍。在前面，我們已一再提到唐朝的宦官之禍，所以，元稹慘遭侮辱一點兒也不奇怪。

當元稹被貶爲江陵士曹之時，他的好朋友白居易並不知道。兩人在街上騎馬相遇，無限感慨。白居易爲了元稹這件不白之冤，曾經三次上奏章，表示『今中官（即宦官）有罪，未見處置，御史無過，卻先貶官，遠近聞名，有損聖德……』

問題是皇帝寵信宦官，他可不認爲有損聖德。在古代君王專制之時，君威難測，白居易如此頂撞皇帝，極可能因而獲罪；但是他爲了朋友之義，奮不顧身。

白居易與元稹相識，是在貞元十九年，他們同時參加制舉拔萃科及第，並且同授校書郎。兩人一見如故，『有月多同賞，無盃不共持……何處不相隨。』一同賞月，一同飲酒，一同彈琴，一同讀書，形影相隨。

他二人如此投契，除了都是翩翩青年，都是才華高、詩文好的青年才俊，更因為雖然都是在官場上位居要津，卻是自貧苦環境奮鬥出來的。（白居易的幼年見〈白居易寫長恨歌〉篇。）

由於此二人嘗過貧窮的滋味，都由寡母撫養長大，踏入政壇之後，眼見政局衰敗，不約而同有悲天憫人救世濟民思想湧上心頭。他們希望文學不只是唯美的藝術，更能積極改造人們的生活。他們各自寫了許多描寫民間疾苦的諷諭詩，世人把元稹、白居易合稱爲元白。

元白同時享譽詩壇，才情相若。按照中國人的說法應是文人相輕，但是元白卻是文人相重，兩人比手足還親。白居易貧困時，元稹會寄錢給他，元稹病了，白居易立刻寄藥過去。

他們在一起的時候，快樂得要命，吟詩聯句，飲酒下棋；別離之後，依然隔地吟詩唱和。當白居易守杭州，元稹守越州之時，兩州毗鄰，兩人經常以竹筒寄詩，傳爲美談。

元白二人能夠欣賞對方的長處，互相激勵，彼此扶持，才能享受友誼之芬芳。

閱讀心得

【第336篇】牛李黨爭。

說起牛李黨爭，大家都很熟悉，因爲這是唐朝極爲重要的一件大事。然而，牛李黨爭究竟是怎麼一回事？他們到底爭的是什麼？卻很少人清楚。

唐憲宗元和四年，舉行制舉對策。制舉是皇帝親自舉行的考試。其中，牛僧孺、李宗閔等人都在試卷之中譏諷朝政，批評得相當嚴苛，毫不留情。唐憲宗看到這幾份卷子十分欣賞，立刻下詔中書省『找個好位置安插』。卷子流出之後，首席宰相李吉甫立刻臉色大變，認爲卷子中是在嘲諷他。

唐朝時代卷子沒有彌封，不但如此，還要參考平常作業（本書前面〈王維巧扮樂工〉之中，王維曾把家庭作業獻給公主，平常成績稱之爲溫卷），因此一份好的試卷一出，衆人傳觀。我們在今天看到許多唐朝流傳下來的好文章，許多都是在試場之中寫的。

既然卷子沒有密封，李吉甫當然知道牛僧孺、李宗閔這幾個小子與他作對。一口氣實在難忍，曾經向唐憲宗哭訴，也不得要領。

李吉甫的兒子名叫李德裕，對這件事耿耿於懷，父仇子報。在穆宗朝時，穆宗頗爲看重李德裕，李德裕就想辦法把李宗閔貶爲遠州刺史。李宗

閔當然也非常憤怒，也結成一黨攻擊李德裕。

由於牛（牛僧孺）、李（李德裕）兩人在朝中都有名望，都有入相的機會。雙方各自樹黨，互相排擠，彼此攻訐，成爲朝中兩大派系，史稱爲牛李黨爭。

牛僧孺所代表的一派大半是進士出身，或者已敗落的世家大族，比較放蕩不羈，以文采華麗落拓著稱。譬如以寫『十年一覺揚州夢，贏得青樓薄倖名』的杜牧就是牛派的。他們多半是屬於唐高宗武后以來，由進士科出身的新興統治階級。

李德裕所代表的，大半是世族出身，主張以經學爲正宗，比較注重傳統禮教。在唐朝，世家大族已喪失魏晉南北朝時代的優越與顯赫，然而，關東世族的優美門風與家學仍然保持著。當然，李黨中也有不少進士。李德裕本人相當以門第爲傲，他頗看不起以進士出身的士大夫。他曾經說過：『朝廷的顯赫官吏，必須是公卿子弟，爲什麼呢？因爲他們自小耳濡目染，熟悉朝廷臺閣儀範、須行準則，不教自成。寒士中縱有傑出人才，登第後，還是要從頭教起。』可見得，他是怎樣地看不起進士科出身的寒士。

進士科出身的士大夫，因爲沒有家族關係，所以格外團結。他們互相推崇，尊稱先登第者爲前輩，同一年登第者爲同年，稱主考官爲座主，大家都是座主門生。因爲他們出身相同，政治地位也相同，利害關係又一致，所以能結爲一體。

牛李兩黨並非現代政黨，也沒有黨綱與政見，只是私人利害相結合。不過，有一點倒是壁壘分明：對於處理藩鎮問題，李黨主張鎮壓、討伐，牛黨主張妥協、安撫。對於邊疆外族問題，李黨主張攻擊、接納降將，牛黨主張送還降將、退讓和平。

牛李黨爭的時代，任何在朝中居於高位者，不是牛黨，就是李黨。不過，兩黨之爭究竟還算是君子之爭，並沒有像東漢黨錮之禍一樣，非要趕盡殺絕不可。只是牛黨得勢，李黨的人只好出任地方官，等到李黨得勢，李黨的人又成爲京官而已。所以，他們爭的是中央的執政大權。

唐文宗大和三年，牛派的李宗閔做了宰相，第二年牛僧孺也做了宰相。於是，李黨的李德裕被排擠在朝堂之外，出任西川節度使。

大和三年九月，吐蕃維州守將悉怛謀請降。維州地勢險要，北望隴山，積雪如玉，東望成都，若在井底；一面孤峰，三面臨江，是西蜀控制吐蕃的要地，吐蕃稱維州爲『無夏城』。

維州守將竟然要以城降，擔任西川節度使的李德裕高興極了，立刻具奏其狀，並且說：『將可派遣三千生羌，燒十三橋，擊敗西戎腹心，一雪我大唐帝國之恥。』

這份報告送到京師，唐文宗召集百官商議，宰相牛僧孺反對接受悉怛謀投降。牛黨向來是主和的，牛僧孺持的理由是『吐蕃之境，失一維州，不能損害其勢力。最近我們與吐蕃修好，約罷戎兵，中國禦戎，守信爲上，吐蕃如果來質問，我們如何回答？這是一個匹夫都知道不能答應的事，何況是天子？』

唐文宗想想，覺得牛僧孺的話也不無道理，也不敢得罪吐蕃。於是下詔，命令李德裕把到手的維城交回去，吐蕃降將悉怛謀及其隨從也一併送回去。

李德裕當然萬分不情願，但是聖旨難違，只有照辦。結果悉怛謀一行在邊界上就地被吐蕃處死了，而且死得相當慘，使得吐蕃一帶人民對唐朝大爲不滿。

由於朝廷上下都認爲此舉使親者痛仇者快，所以不久牛僧孺被外放爲淮南節度使，換了李德裕爲相。總之，牛李黨爭自穆宗長慶元年到懿宗咸通元年，整整四十年間，像走馬燈一般，輪流換將，不過是意氣之爭而已。

然而，事實上影響朝政不大，因爲此時政治上的主角是宦官，這些牛黨李黨不過是宦官手中的木偶一般。因此史學家陳寅恪說，牛李二黨都只是二流角色而已。中央政府中最有權勢的人物還是宦官。

閱讀心得

【第337篇】唐文宗與宋申錫。

在〈唐憲宗喜食仙丹〉之中，我們説過，唐憲宗晚年好服金丹，脾氣暴躁，左右服侍的宦官往往因而獲罪。因此，宦官訂下計謀害死憲宗，共擁穆宗爲帝。

唐穆宗在位僅僅四年，又因爲餌藥而死。敬宗即位，並不因爲憲宗被宦官所害而知警惕，反而更加寵信宦官。

有一回，鄠縣令崔發聽到外面有喧嘩嚷囂之聲，覺得十分奇怪，一問之下，原來是五坊小兒在迫害百姓（五坊小兒的故事本書前面說過）。崔發十分生氣，立刻派人把滋事者拖了進來，在庭中問話。一問之下，才知道是宦官。

唐敬宗知道這件事，認爲崔發對他派出去的宦官不禮貌，等於是藐視皇帝，下令把崔發關了起來。

正巧第二天，皇帝頒佈了大赦的命令，一批一批犯人都被放出了監獄，只有崔發仍被扣留在獄中。忽然，從外面衝進來幾十個宦官，拿著木棍，對準崔發的臉，一棍一棍地打下去，直打得崔發臉也破了，牙齒也掉了，昏了過去。這些宦官似乎滿足了，大搖大擺地走了。

監獄的管理員用蓆子把崔發的臉遮住，不久，又來了一批宦官，手執

皮鞭，大聲叫嚷要打崔發，獄卒指著躺在地上的崔發，宦官們一看，崔發的頭已覆蓋著草蓆，以爲崔發已死，便悻悻然地離去。其實，崔發只是昏了過去，由於獄卒一絲善念，使崔發免於被宦官活活打死。

由此可知，一個人可以犯國法，不可以得罪宦官，犯了國法，不過依法審判，遇上大赦，還可以減刑；可是，得罪宦官將受到私刑凌辱，縱有大赦，也不能享受皇恩，於是，一般臣民怎能不畏懼宦官呢？

寶曆二年十二月，唐敬宗因爲遊樂無度，狎暱小人，對宦官動輒捶撻，引起宦官的恐懼與不滿，而爲宦官劉克明等人所殺。

唐敬宗死了以後，宦官王守澄、梁守謙等人共同擁立文宗爲帝。可見得在唐朝弒君、立君，任由宦官，君臣都不敢聲討。

唐文宗即位以後，深深以憲宗、敬宗死於宦官之手而憤怒。可是，殺害這兩位君主的餘黨，還遍佈宮中，尤其新起的宦官王守澄，特別地跋扈。

唐文宗大和二年，舉行策試，要考生申論對時事的看法，其中有一名叫劉蕡的，寫了一篇極爲激烈又精采的答卷，力言務必消除宦官，否則『社稷將危，天下將傾，海內將亂……』

三位主考官看了都點頭稱是，可是因爲不敢得罪宦官，沒有錄取劉蕡。

劉蕡雖然落第，他所指斥宦官之論，卻引起了唐文宗去除宦官之念頭。可是宦官的力量甚大，殺害憲宗、敬宗的宦官還有不少餘黨在宮中。王守澄尤其專橫，招攬權勢、受納財貨，文宗根本無法制御。

大和五年中，唐文宗找了一個機會，祕密與翰林學士宋申錫談到除宦官之事。宋申錫建議唐文宗慢慢除掉身邊的威脅。唐文宗見宋申錫沉穩厚重，忠誠敬謹，覺得是可以倚靠的人才，拔擢他爲尚書左丞；過了一個月，再提升爲同平章事（宰相）。

要除宦官，得先聯絡志同道合的。宋申錫用密旨引吏部侍郎王璠爲京兆尹；不料，王璠竟然出賣了宋申錫，把機密洩漏給宦官王守澄。

王守澄知道這件事，決定先下手爲強。他誣告宋申錫有意擁漳王爲皇帝，漳王是當時以才學著稱的一個王。

唐文宗一聽之下，龍顏大怒。王守澄見計得逞，馬上自告奮勇，要求帶兩百騎兵到宋申錫家中殺個精光。

飛龍使馬存亮在地下叩了一個響頭道：『如此，則京城大亂，應該召集其他宰相，共同商議其事。』

第二天，剛好是休假日，唐文宗派遣宦官去一個一個通知宰相開會（唐朝是多相制）。宋申錫聽說開會，也到了中書東門，宦官對宋申錫說：『皇帝所召之中，無宋公名。』

宋申錫心中有數，知道出事了。望著延英殿，用笏不斷擊著腦袋，垂頭喪氣走了回去。

宰相們到了延英殿，唐文宗提出王守澄所舉宋申錫的罪狀。大家都驚愕萬分，不敢相信，明明知道是宦官搞鬼，卻沒有人敢爲宋申錫喊冤。於是，文宗貶宋爲右庶子。

唐文宗愈想愈氣，準備把宋申錫處死，左常侍崔玄亮趴在地上爲宋申錫求情：『殺一匹夫，還不能不慎重，何況他是宰相啊！』這麼一說，文宗稍稍冷靜，沉著臉道：『我再找宰相商量。』

宰相牛僧孺來了，婉轉地對唐文宗說：『做爲一個臣子，最顯貴的官職，不過是宰相。假如宋申錫眞有逆謀，他擁立漳王爲帝之後，也不過當個宰相，他爲什麼要做這種事呢？』

其實，這是再明顯不過的道理。宦官惟恐文宗清醒過來，由王守澄出面建議，不殺宋申錫，改爲貶開州司馬。沒多久，宋申錫死在任上。

到了開成元年，李石上言文宗：『宋申錫忠直，爲讒人所誣，竄死異鄉，冤屈到現在還沒有昭雪。』

唐文宗低下頭，沉思了半天，然後開始哭泣：『這件事，朕早知道自己錯了，差一點我的兄弟（指漳王）也不能保全，這都是因爲朕不明也。』

於是下詔恢復宋申錫的官爵，並且任用其子宋慎微爲成固尉。

唐文宗之所以會這麼糊塗，一方面是古代皇位不容人覬覦，心中害怕所致；另外一方面，朝代末期之子孫，從小生長在深宮內苑，沒有歷練，難免容易受蒙蔽。

閱讀心得

【第338篇】鄭注依附宦官。

在上篇〈唐文宗與宋申錫〉之中，我們說到，唐文宗與宰相宋申錫合謀翦除宦官。結果，機密外洩，宦官先誣告宋申錫謀逆。文宗不察，遠貶宋申錫；事後，後悔不已。

經過這次事件以後，宦官們認爲，讓朝臣與皇帝經常接觸，總不是一件好事。可是，又不能禁止君臣往來啊。最好的辦法是由宦官們自己挑選臣子，比較安全。

在宋申錫事情過去之後，宦官益加張狂。唐文宗表面上包容宦官，內心相當痛苦。因此有史家形容爲『皇帝居宮中，就像是模範監獄中的罪囚』。

唐文宗這個罪囚，就在宦官爲他找來的兩個臣子——李訓與鄭注之前吐露了內心的難堪。李訓是唐文宗的伴讀，陪伴天子讀書，爲天子講解之謂，不能說是皇上的老師。李訓與宦官走得很近，所以宦官對他十分放心。另外一個人就叫鄭注，宦官對他是深信不疑，爲什麼呢？這是有道理的……。

鄭注是如何發跡的？其中有一段故事：鄭注這人長得瘦瘦小小，其貌不揚。看人的時候，眼睛自下往上翻，賊眉賊眼，猥猥瑣瑣。可是他有一

個本事，譎詐靈巧，最會揣摩人意，馬屁工夫是一流的。因為家中很窮，遂以行醫當郎中遊天下。

鄭注的醫術不錯。穆宗長慶三年，徐州牙將很欣賞他，把他推薦給節度使李愬。李愬服了幾帖鄭注的藥，果然很靈驗，於是非常寵信鄭注，而且派給他一個牙推的官職，漸漸參與軍政。

鄭注是小人得志，作威作福，軍隊裏上上下下都討厭他。在唐朝，我們前面提過，派了不少宦官在軍隊監視，所以徐州的監軍王守澄告訴李愬，要他把鄭注趕走。

李愬不敢違抗宦官的意旨，不過他對王守澄說：『鄭注這個人，雖然有些小毛病，不失為一個奇才，你不妨與他談一談。假如認為他一無可取，那麼，再叫他走也不遲。』

王守澄面有難色，不怎麼願意。可是，李愬已經把鄭注找來了，只有勉勉強強敷衍幾句。

誰知鄭注果眞是個奇才。坐下來沒有多久，不但王守澄臉上的冰霜融化了，而且笑聲琅琅，把鄭注請入中堂，促膝談心，大有相見恨晚之嘆。

這一夜，王守澄與鄭注聊到三更半夜。第二天，王守澄眉開眼笑對李愬說：『鄭生誠如公所言，是個人才。』不但不再堅持趕他走，而且把他升爲巡官。

不久之後，唐穆宗生了重病，軍國大事被宦官王守澄控制，鄭注就成爲王守澄的心腹。無論日夜，不需通報就可直接進入密室與王守澄相談，而且經常一談就是整個通宵。鄭注的地位一天比一天高。

有一位工部尚書鄭權，頗爲好色，家中蓄有許多姬妾。然而薪俸少，養不起這許多姨太太，遂找鄭注想辦法。果然，不久升爲嶺南節度使。

等到唐文宗當了皇帝，很討厭鄭注依賴宦官王守澄之勢，狐假虎威。在文宗大和七年，侍御史李款閤上了一個奏章彈劾鄭注，說他貪汙納賄，晝伏夜行。人們敢怒不敢言，只是在道路上碰到時，狠狠地瞪著鄭注，表示內心之不滿。

這個奏章上了之後，十天之中，各地上了數十個奏章都是講同一回事，王守澄爲袒護鄭注，把這些奏章都偷偷藏了起來。

左將軍李弘楚看不過去，對左軍中尉韋元素（也是宦官）道：『鄭注奸滑無雙，如果不去除他，必爲國家大患。我現在假裝中尉你有病，請他來醫治。等你一擡眼，我就把他拉出去殺了。然後中尉再向皇帝請罪，皇帝絕不會因爲你除奸判你罪的。』

韋元素滿口答應，便以生病爲名，召鄭注前來。

鄭注到了之後，像老鼠一般謙卑地趴在床前，然後一大堆甜言蜜語像噴泉一般湧出。把韋元素聽得昏昏陶陶，不自覺用手握住鄭注的手，兩人互通款曲。

韋元素陶醉在鄭注的馬屁攻勢之中，渾然忘倦。李弘楚一直在等韋元素暗示，把鄭注拖出去宰了。韋元素這下子那捨得，拉著鄭注的手，聽他的恭維阿諛，快樂極了。最後，搬出許多金帛厚賜鄭注，而且要他以後常常來玩，把李弘楚氣壞了，又無可奈何。

過了不久，唐文宗生了重病，病到不能開口，王守澄推薦鄭注去看病。文宗服了幾帖藥，病況大爲減輕，又見鄭注乖巧，能言善道，專揀好聽的說，連皇帝也對鄭注有好感了。

於是，文宗便把自己受制於宦官之苦，一五一十告訴鄭注，鄭注與李訓遂訂下除宦官之大計。

李訓、鄭注爲文宗訂下除宦官之計會成功嗎？

閱讀心得

【第339篇】

甘露之變。

在上篇〈鄭注依附宦官〉之中，我們說到，唐文宗與宰相宋申錫密謀除宦官失敗，痛苦萬狀。宦官擔心文宗再與朝臣合謀，於是，宦官選擇與宦官走得近的鄭注、李訓與文宗交往，以爲這樣就萬無一失了……。

由於鄭注、李訓都是被宦官提拔的，宦官比較放心。唐文宗卻把心事告訴他二人，並且託以大事。提拔鄭注的宦官王守澄，自唐穆宗元和時代即掌大權，到文宗時代已爲大閹之一；李訓等決定用另一派宦官仇士良的力量去掉王守澄。

李訓首先設計以宦官仇士良爲左軍中尉，負責統率中央的禁衛軍，分王守澄的大權。王守澄極爲不悅，唐文宗即以此逼王守澄服毒，死後祕不發喪。等到死訊傳開，仍然追贈其爲揚州大都督。

李訓等人把王守澄去除之後，威勢大盛。李訓想要再除仇士良，於是發生唐朝歷史之中有名的『甘露之變』。

唐朝宦官權勢太大，內內外外都由宦官一把抓，李訓等人要除宦官，必得預先妥爲布置。所謂除宦官，不是要把皇宮之中大大小小的宦官都殺光，只是去掉最爲惡毒的大宦官罷了。

唐文宗先布置了大理卿郭行餘爲邠寧節度使，太府卿韓約爲左金吾衛

大將軍……。因為宮中禁軍也抓在宦官手中，李訓便以王璠、郭行餘要出鎮太原、邠寧為名，招募壯士為部曲，集合武力應變。

這件計畫的要角是左金吾衛大將軍韓約，左右金吾衛是皇宮的衛隊。他們準備在金吾左仗（左右仗是金吾衛士的辦公廳）之中，執行這件大事。

於是，按照預定計謀，在大和九年十一月中，有一天，唐文宗在紫宸殿上朝，（參照大明宮示意圖，唐代皇帝都住在大明宮，大明宮宮殿早已不存在，這是據宋人呂大防所繪『長安圖』的石碑殘片所畫出大明宮的示意圖）當文武百官都各依班次，站立已定，這時依例由左金吾衛大將軍報告：『左右廂內外平安』。可是今天，韓約沒有報平安，他在地上叩了一個響頭：『左金吾廳後面的石榴樹昨天晚上降了甘露，臣遞門奏訖。』

古代傳說，甘露是一種吉祥之物（古人稱太平，則天降甘露），卻沒人看過甘露的形狀。韓約上奏之後，宰相文武百官一併祝賀。

這時，按照預先排演的臺辭，李訓等人建議大家去參觀一下。於是文武百官都到了前面的含元殿。唐文宗也坐在軟轎上，由宦官擡到了含元殿，其目的是接近金吾左仗，好看甘露。

到了含元殿之後，唐文宗先派李訓與兩省官去看甘露。過了老半天，李訓等人才回來。李訓奏曰：『臣與衆人查驗的結果，恐怕不是眞甘露，不能馬上宣布，惟恐天下稱賀。』

然後，唐文宗再繼續演戲：『噢，是這樣的嗎？』然後派仇士良、魚志弘去查個究竟。

好，這下含元殿中之宦官走了。李訓召來郭行餘、王璠等：『來受敕旨。』接受皇帝去殺宦官之命令，王璠嚇得兩條大腿直打哆嗦，不敢向前。只有郭行餘一人領旨。

此時，王璠、郭行餘的部下已拿著兵器守在丹鳳門（皇城的大門）外。李訓已先派了人帶他們入宮，準備在金吾左仗的樹林之中，把仇士良幹掉。

仇士良大搖大擺到了金吾左仗，擡頭看石榴樹，沒見到什麼甘露，卻見韓約的臉色通紅，汗如雨下。覺得好奇怪，忍不住問道：『將軍怎麼了？』

忽然之間，一陣微風吹過，只見人影幢幢，而且聽到兵器互相摩擦的聲音。仇士良十分機伶，轉身就跑，金吾左仗衛士趕快把門關起來。仇士良大聲一吼，由於軍士們平常怕宦官怕慣了，竟然嚇得不敢關門。

仇士良一口氣跑到了含元殿。李訓見到仇士良活著跑回來，知道事情壞了，大聲呼叫金吾衛士：『來來，來的人賞錢百緡。』宦官也要搶皇帝，把軟轎擡來，對唐文宗說：『這兒情況危急，請陛下回內宮。』

宦官擡起文宗的軟轎，突破含元殿後的屏風，一直往裏面奔。李訓著急地喊：『臣奏事未完畢，陛下不可入宮。』

在這個當口，郭行餘的部下已自丹鳳門衝了進來，與宦官展開一場廝殺，而唐文宗就被一直擡到了宣政門。一進門之後，宦官趕快把大門關上，所有宦官齊呼萬歲。在這場拔河大賽之中，宦官大獲全勝，李訓、鄭注先後被殺，朝中大臣波及者更多。

『甘露之變』宦官大獲全勝，唐文宗以後的日子就更難過了。這一方面固然是宦官跋扈，另一方面這些朝代末期的君主也實在差勁，不但體力差，而且膽子小。其實，天子還是有天子的威嚴在，如果他跳下軟轎，如果他大叫一聲下御旨，宦官還是會怕的。

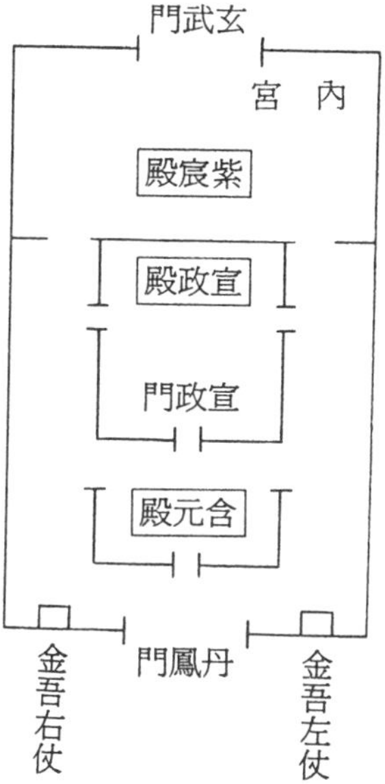

閱讀心得

【第340篇】

十年一覺揚州夢。

在唐朝晚年出了一位大詩人杜牧，他的詩辭藻華麗，色彩鮮明，而且風流香豔。人們稱之爲小杜，以別於大杜——杜甫。

杜牧，字牧之，生於唐德宗貞元十九年。他的祖父杜佑，做過唐朝的宰相，精通歷代典章制度，曾經著有歷史上著名的《通典》一書。杜牧家學淵源，自小才氣逼人。當時的大臣吳武陵十分器重他，向主司侍郎崔郾推薦，謂杜牧有王佐之才。崔郾不相信，等到看過杜牧的〈阿房宮賦〉，大為讚賞。

原來在唐敬宗寶曆元年，杜牧不過二十三歲。朝廷為了擴充宮室，大動土木，其壯麗豪侈，不下於秦始皇的阿房宮，而且唐敬宗廣徵天下美女，弄得人們怨聲載道。杜牧擔心重蹈秦朝修阿房宮之覆轍，作了一首阿房宮賦。

這篇賦一開頭『六王畢，四海一，蜀山兀，阿房出』（六國覆滅，天下統一，蜀山的樹木一砍光，阿房宮便出現了），短短幾句話就氣魄萬千，道出阿房宮的雄偉。

然後，一路下來，他把阿房宮的宮殿樓閣，迴廊複道，美女珍奇，描寫得歷歷如畫。最後『戍卒叫，函谷舉，楚人一炬，可憐焦土。』（防守邊

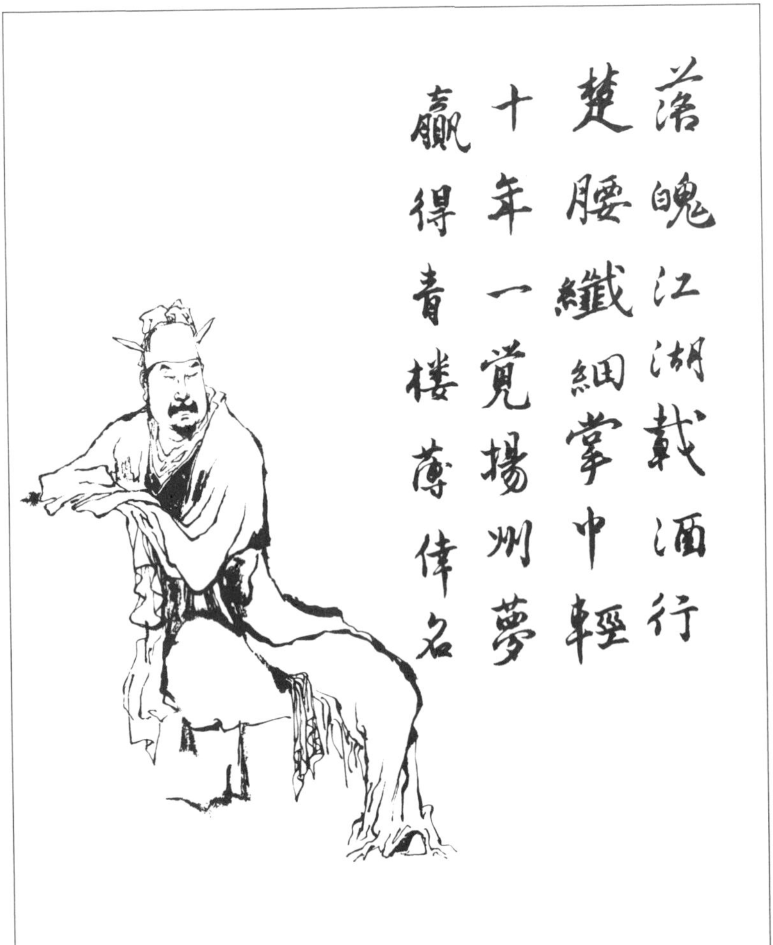
落魄江湖載酒行
楚腰纖細掌中輕
十年一覚揚州夢
贏得青樓薄倖名

境的卒兵一聲叫喊，函谷關就陷落了。楚國人的一把火，可憐啊，阿房宮就成爲一片焦土了。）

這篇阿房宮賦千口傳誦，崔郾看了不禁驚叫『好文章』。可是他聽說杜牧私行不檢，品德不佳，因此不肯給他狀頭（唐朝進士科第一名稱爲『狀頭』），只給了他第五名。這一年，杜牧二十四歲。

當牛僧孺爲淮南節度使之時，請杜牧擔任淮南節度推官，掌書記，也就是當祕書。杜牧少有大志，對自己的抱負，頗有不可一世之概。因此，屈居牛僧孺之下，沒有實權，心中鬱鬱不得志，遂寄情於風月之中。

唐朝的揚州，繁華富庶，商業發達，往來商旅絡繹不絕，酒樓茶肆到處林立，是一個聞名中外的遊樂中心。唐代的貴族與文人墨客，往往以去妓院爲風流韻事。

當時妓女可分爲三種：公妓、私妓、家妓。公妓是政府特設，用來娛樂皇室、高官與軍人的。家妓是皇親國戚、公卿百官及騷人墨客在家中豢養的妓女。

其中，私妓多半集中在長安城中的平康里，因爲地近北門，又稱之爲北里。北里的妓館，是政府允許設立的私家妓館。

唐朝的妓女程度很高，其中不乏官宦之後，名門閨秀。有的因爲家庭變故，有的因爲獲罪官家，不得已落風塵。她們會唱歌、會跳舞、會吟詩下棋，可說得上是才貌雙全。事實上，唐朝許多名妓之所以走紅，不是因爲色，而是因爲藝。

這套風氣，傳到日本，成爲日本的藝妓。有許多人到了日本藝妓館，發現藝妓濃著一張死白的臉，又老又醜，難看得很，不禁大吃一驚。其實這不奇怪，因爲藝妓以藝取勝。

在唐代，許多新當選的進士，中了頭彩之後，第一件事就是栽進平康里之中，逍遙三天三夜。許多到長安來考進士的人，往往也先住進妓館；如果作了好詩，由妓女先唱出，唐朝人人愛詩，往往可以傳到宮中。

由唐朝妓女懂得欣賞詩，可以與詩人互相酬答，可見她們不乏才貌雙全的。難怪多少進士新貴、文人墨客流連忘返。更何況，唐朝人本來就比較開放大膽。

杜牧一表人才，英俊又瀟灑，而且才氣縱橫。這麼一個風流才子，當然把妓女迷得死去活來，青樓歌妓中不曉得有多少傾倒在『杜書記』之下。

前面〈牛李黨爭〉之中，我們說過，牛黨比較灑脫，不拘小節。因此牛僧孺知道杜牧有此雅好，也沒有責備他，只是派了三十個健卒，輪流便衣暗中保護杜牧。杜牧生性瀟灑，根本不知道有這麼一回事。

杜牧在太和九年升了官，由節度使書記升爲監察御史。他雖然對揚州戀戀不捨，卻也不能不忍痛而去。

此時，杜牧正迷戀上一對妓院的姊妹花，實在捨不得離開。當他辭行之時飲到微醉，詩興大發，當下寫了兩首膾炙人口的詩，其中第二首是——

多情卻似總無情，唯覺樽前笑不成；

蠟燭有心還惜別，替人垂淚到天明。

（我與你雖有強烈的感情，如今卻裝得毫無情感的樣子。現在我和你要分手道別，在這盞餞別的酒盃之前，怎樣也扮不出笑臉。你看那蠟燭好像在爲你我惜別，燭油也不斷地滴落，彷彿替我們流淚到天明。）

第二天，杜牧向牛僧孺辭行，牛僧孺告誡他：『此去做御史，私生活應多加檢點，免遭物議，自毀前途。』

『那兒的話，我不過是逢場作戲，豈有沉湎酒色。』杜牧不肯認帳。

『噢，是這樣嗎？』牛僧孺笑嘻嘻地把記載某夜某夜宿酒何處妓院的報告，以及派出保護士卒所寫的『無恙』的存檔給杜牧看。杜牧臉都紅了，再三拜謝而去。因此，牛僧孺死後，杜牧為他寫了一段極佳的墓誌，以報答牛僧孺之愛護。

不過，杜牧對自己的風流也不是毫無所憾，他在遣懷中道：『落魄江湖載酒行，楚腰纖細掌中輕；十年一覺揚州夢，贏得青樓薄倖名。』（我失意流落江湖，帶著酒意浪遊，陶醉在這些腰圍纖細、輕得可以在掌中跳舞的妓女中。十年過去了，只換得青樓妓女一個薄情的號稱。）

【第341篇】

商女不知亡國恨。

風流才子杜牧，辭別牛僧孺，離開揚州，前往京城。到了長安之後，杜牧雖然官拜御史，還是喜歡前往平康里去冶遊。它雖然繁華，卻不及揚州金粉，杜牧對揚州依然戀戀難忘。後來，杜牧由於生病，改派前往東都洛陽。那時司徒李愿家中豢養不少歌妓，據說是才貌雙全，豔色動人。

杜牧很想去看一看，可是他官居御史，李愿不太敢請他，沒發帖子。

杜牧覺得十分掃興，託人轉告李愿，代爲致意，李愿只好請杜牧赴宴。

杜牧老早就聽說，李愿家中歌妓，個個漂亮，而其中的紫雲姑娘最爲出色。他這番去，主要就是要見識見識這位佳人。

到了李宅，李愿招呼一行人坐下之後，立刻有四名家妓前來伺候。杜牧連飲三杯，大剌剌地問道：『那一個是紫雲？』

『哪，就是穿紫衣服的那位。』李愿順手一指，果然是一位秀麗動人的美女。

紫雲笑盈盈地走了過來，杜牧不客氣地端詳了半天，然後自斟自飲，連喝三杯。一清喉嚨，高聲地說：『果然名不虛傳，把她送給我算了！』滿座哄堂大笑。

煙籠寒水月籠
夜泊秦淮近酒家
商女不知亡國恨
隔江猶

接著，杜牧又再痛飲三杯，站了起來，順口吟出一首即興詩——

華堂今日綺筵開，誰喚分司御史來；
忽發狂言驚四座，兩行紅粉一時回。

可見，他對自己突發狂言，實在是有說不出的得意。

以後，杜牧歷任咸陽尉、左補闕、史館修撰等官。當時的宰相李德裕雖然賞識杜牧的才華，卻因爲杜牧在牛僧孺下面做過事，是牛黨中人，不肯重用。杜牧長才難伸，依然沉湎聲色之中。

當杜牧在揚州之時，就聽說湖州（今浙江吳興）地方，山明水秀多美女，而且當地水質好，美女長眉纖腰，似仙女一般；所以，杜牧怎麼樣也要去湖州一遊。

湖州刺史久慕杜牧大名，聽說他駕到，立刻安排大規模的盛筵，把當地優娼女，一網打盡，在筵前歌舞侑酒。杜牧看來看去，竟然沒一個中意。

刺史小心地探問：『怎麼樣？』

『美則美矣，未盡善也。』杜牧實話實說。

刺史覺得頗爲抱歉，又不知如何是好。

『不如爲我準備一艘綵船，讓我坐在上面，四處逛逛，也許可以遇上一位佳人也說不定。』杜牧心生一計。

於是，刺史大人立刻照辦，僱來一艘最爲華麗的綵船，並且在船上揚起幽雅的音樂。咱們這位風流倜儻的才子，就乘著歌聲的翅膀，滿懷興致去尋芳。

杜牧選美的消息，立刻被好事之徒傳開。男男女女都跑出來看熱鬧，一睹杜牧的廬山眞面目，也很好奇地想知道，究竟那位美女被杜牧看上。

杜牧見過的大場面多了，因此他悠悠閒閒半倚在船上，等著美女出現。他看來看去，發現雖然有幾個長得還不錯，距離理想之中的標準還差得遠矣，不禁萬分失望。

到了夕陽西下，人群將散，杜牧惆悵地走下綵船。忽然，他眼前一亮，遠遠地望見一個老太婆牽著一位小女孩，這個小女孩眞正是小仙女，美得不沾一絲人間塵埃，滿臉靈氣，好像自古畫中走出來。

杜牧驚喜一呼：『這才是國色天香！』於是，杜牧派人把母女倆接到船上。母女兩人嚇得驚惶失措，尤其是小美女，直往母親的懷裏鑽。

杜牧安慰她二人道：『請放心，我不是現在就要納聘。十年以後，我再回來娶她。』

『十年期滿，不來踐約，又當如何？』老婦人反問。

杜牧略略一沉思：『不出十年，我必然會來這兒做郡守，如果十年不來，把她許配給別人好了。』

杜牧回朝之後，心中一直惦記著驚鴻一瞥的小美女，可是官位不高，不敢請調湖州。到了大中三年，方才託言醫治弟弟杜覬眼疾，要求派往湖州。

然而到了湖州一打聽，才知小美人早在三年之前嫁人，而且已經生了兩個兒子。杜牧嚴詞責備老婦人：『既已許配我，何以又改嫁別人？』

老婦人理直氣壯地反駁：『我們約期十年，現在已過三年了。』

杜牧黯然神傷，寫了一首詩：『自恨尋芳到已遲，昔年曾見未開時；如今風擺花狼藉，綠葉成蔭子滿枝。』

不久之後，杜牧在夢中，夢到自己手寫『皎皎白駒』四個字，有人爲他圓夢道：『這就是意味白駒過隙（暗示死期將近）。』他家的飯鍋又突然破裂，他自認爲『不吉利』，於是自己寫了一篇墓誌銘，把詩文全部焚毀。

杜牧在歷史上以風流出名；事實上他極有才學，他也未嘗不想做一番事業，可是唐朝末期政治腐敗，多少也使得他頗爲失意。在阿房宮賦中，可見其有血氣、有抱負，在另一首泊秦淮之中，更能表現杜牧這種情懷：

『煙籠寒水月籠紗，夜泊秦淮近酒家，商女不知亡國恨，隔江猶唱後庭花。』（晚煙迷濛，籠罩在淒寒的河水上；月色茫茫，映照在沙灘上。夜晚泊舟秦淮河畔，正靠著岸上的酒家，可嘆那妓女不知亡國恨事，還在低唱玉樹後庭花。）

閱讀心得

【第342篇】

夕陽無限好。

在上篇，我們介紹了小杜——杜牧，以別於大杜——杜甫。今天要介紹別於大李（李白）的李商隱，他被稱爲小李。

李商隱，字義山，懷州河內（今河南沁陽）人，生於唐憲宗元和八年。他家的人都極有才氣，曾祖李叔恒，十九歲就進士及第。李商隱幼年時代已經十分能寫文章。當令狐楚任河陽節度使時，一次偶然的機會看到李商隱的作品，大爲讚賞，而且要求看看他以前的文章。同時，把他請到家中，對自己幾個兒子說：『你們啊，要多向人家學學。』此時的李商隱尚未弱冠（弱冠是二十歲）。

唐文宗開成二年，李商隱賴令狐楚之子令狐綯之推薦，拔擢爲進士第，這年他二十四歲。

在李商隱年輕時代，曾經和長安著名的女道士宋華陽，有過一段戀愛的故事。唐朝的女道士向來多彩多姿，風流韻事不斷。楊貴妃在與壽王離婚，再嫁給唐明皇之前，也曾經去當女道士，號太眞。

宋華陽當時年輕貌美，與兩個妹妹一塊住在道觀之中，李商隱被迷得神魂顚倒。據蘇雪林女士研究，由於女道士身分特殊，戀情一旦公開，不能見容於當時社會。因此蘇女士認爲，他的詩之所以晦澀難解、冷僻隱秘

相見時難別亦難
東風無力百花殘
春蠶到死絲方盡
蠟炬成灰淚始乾
曉鏡但愁雲鬢改
夜吟應覺月光寒

就是有此難言之隱。

其實，我們欣賞李商隱的詩，大可以直接去領略詩中之美，犯不著去挖古人隱私。到底眞相如何，永遠是一個謎，而且也是不重要的。

在李商隱前往吏部考試失敗之時，他的女朋友宋華陽移情別戀，愛上了一位青年道士永道士。永道士還是李商隱介紹給宋華陽的哪，而且，宋華陽的兩個妹妹也都愛上了永道士。李商隱氣憤難堪之餘，寫了一封信給情敵，信中是一首詩『君今並倚三株樹，不記人間葉落時』諷刺永道士。

這一年，李商隱年方二十六歲。

受到這失戀的打擊之後，李商隱發憤努力，通過吏部考試，正式授官（前面我們一再說過，唐代的考試可分爲兩段，第一段是任用資格考試，第二段是授官考試）。他通過考試之後，認識了涇原節度使王茂元。在〈牛李黨爭〉之中，我們說過，牛李兩黨形同水火，互相傾軋。當初，提拔李商隱的令狐楚、令狐綯是牛黨，而李商隱竟然又結交李黨紅人王茂元，這在當時是轟動的大新聞。令狐楚已去世了，其子令狐綯對李商隱的忘恩負義，氣得半夜想起來都心痛。

更叫牛黨人不能忍受的是，李商隱竟然與王茂元的次女，在一次宴會之中一見鍾情，彼此傾心。

據說那一首蕩氣迴腸的〈無題〉就是爲此而作。

昨夜星辰昨夜風，畫樓西畔桂堂東。

身無彩鳳雙飛翼，心有靈犀一點通。

（昨天夜裏，當星光低垂微風吹送之時，我正在畫樓的西畔，惦記著桂堂東邊的你。我沒有彩鳳一般的雙翅，不能飛向你的身邊，可是我們的心，就像靈犀的雙角，早已彼此相通了。）

他二人是自由戀愛而結合，婚後夫妻萬分恩愛，李商隱因而作了不少流傳千古的情詩。然而，牛黨中人，自始至終不能原諒他。

李商隱爲此十分痛苦，尤其令狐綯官運亨通，一連當了十年宰相，李商隱就在下面被壓得透不過氣來。

後來，李商隱終於得到一個太學博士的官職，可是他已意態闌珊，與趣缺缺，因爲他的愛妻去世了。

他二人結合困難，所以分外珍惜這段感情，所謂是——

相見時難別亦難，東風無力百花殘。
春蠶到死絲方盡，蠟炬成灰淚始乾。
曉鏡但愁雲鬢改，夜吟應覺月光寒。
蓬萊此去無多路，青鳥殷勤爲探看。

（要與你見一面是多麼難，要與你分別更是困難，東風軟弱無力，百花紛紛凋零。春天的蠶兒，一直到死，才把牠的絲吐盡，蠟燭要燒到芯成灰，燭油才能流乾。）

（我早晨對著鏡子，只愁那雲般的鬢髮變了顏色，夜間吟詩，不自覺擔心冷冷月光你會忍不住。蓬萊仙島離此應該沒有多遠，我祈求殷勤的青鳥，能代替我向你探視。）

最後，李商隱雙目失明，在寂寞與哀傷之中，病死在一個和尚廟之中。

他的詩綺麗香艷，卻不膚淺輕薄，是藝術的、含蓄的，更是濃得化不開的情意，千百年來，爲多少有情男女在低吟著，這是中國人式的戀愛。至於像今天文壇上某些作家，仗著自己臉皮厚，什麼不要臉的都敢大膽描寫，實在是有點兒低級。

然而，唐朝的詩到了李商隱、杜牧之時，已失去李白、杜甫時的壯闊，

閱讀心得

正如同唐朝的國勢一般，步入秋暮冬初蕭瑟之景。正如同李商隱的名句『夕陽無限好，只是近黃昏』。

『夕陽無限好』短短五個字，把黃昏時那種幽細冷艷，美則美矣，又捉不住的無奈寫得多好、多美。我們中國人這幾個世紀以來，因爲國勢衰弱，把自己的民族自信心也丟了，看不起本身的文化，總要外國人肯定，我們才敢肯定，連服裝都要老外流行中國風才跟著尾隨，其實，中國有太多豐富的寶藏。

【第343篇】辛讜勇救泗州。

在新唐書之中有一句話『唐亡於黃巢，而禍基於桂林』。黃巢之亂是中國歷史上最慘的亂事之一，我們以後會詳細說。桂林之亂指的是唐懿宗咸通九年桂林戍卒之亂，其中有一段辛讜英勇的故事：

桂林戍卒之亂的起因是這樣的：當初，南詔軍隊攻陷安南，朝廷下令徐州派八百名軍隊到桂州戍守，以防禦南詔，說好了三年換一次。

由於徐州兵一向頗爲驕狂，派了以嚴苛出名的崔彥曾來担任徐州節度使。當初說好三年一換的，結果拖了六年滿期，節度使衙門的官員向崔彥曾報告說：『由於金庫空虛，發兵所費頗多，請再留下戍卒在桂林再留一年。』

徐州戍卒們火冒三丈，不肯幹了！把都將殺掉，推糧料判官龐勛為首腦，劫走府庫的兵械彈藥向北直奔徐州。一路之上，剽掠殺人，州縣長官沒有一點辦法。

唐朝自安史之亂之後，中央政府對付叛逆跋扈者，總是採取姑息政策。這種對倔強不法者予以縱容的態度，不但造成律令不行、刑德不公，而且引起有野心者更大的僥倖心理，更大的胃口，龐勛之亂也是如此。唐朝朝廷非但不追擊，反而急著遣人『赦其罪』。

這一赦罪赦得很『棒』，姑息政策更勾起龐勛非分之念。當徐州兵回到徐州，龐勛對衆人宣佈：『吾輩擅作主張，回到徐州，不過是思念妻子耳。聽說，朝廷已祕密下令解散本軍，我等大丈夫豈可自投羅網，爲天下恥笑。還不如合力同心，赴湯蹈火，既可脫禍，又可求取富貴！』

徐州戍卒們聽得跳起來叫好。當初，他們也知道自己做錯事，心裏頭還是萬分恐懼。誰知道，朝廷反而有點兒膽小怕事的模樣，於是冒險心大增，躍躍欲試。朝廷不得不改變姑息政策，改用武力圍剿。

然而，此時唐朝的皇帝是驕淫的懿宗，手下更是一批庸臣；加上唐代地方吏治不良，徐州民情又慓悍，爭先恐後加入龐勛，一會兒勢力就滾到二十萬人之多。尤其官軍戰鬥力薄弱，龐勛勢如中天，直到進攻泗州才碰到了勁敵。

咸通九年十一月，龐勛遣兵攻泗州。泗州刺史杜滔是個勇敢的守將，他有一個好朋友名叫辛讜。

辛讜是辛雲京的孫子，寓居廣陵一帶，有任俠古風，年紀五十多歲，沒出來做官。他性情慷慨，重諾言，頗有濟時匡難之志向。

聽說泗州告急，辛讜本著朋友之誼前來勸說杜滔，舉家逃難。杜滔沒等辛讜說完，正色地說：『國家平安之際，我安享祿位，國家有難之際，棄城池而逃，這是我不願意做的。況且人人都有家，誰不愛家？我單獨一人求生，何以安眾？』

這番話說得辛讜猛點頭稱是：『很好，你有如此壯志，正合我心，我願與你同死！』然後，他趕回廣陵，與家人訣別之後，又匆匆忙忙奔回泗州。

此時，泗州告急之噩耗已傳開了，百姓們都在收拾細軟，準備把家遷往安寧之處。滿街亂哄哄的，人人臉上掛著沉重的表情，一股悲慘的氣氛壓在大地之上。

當人們扶老攜幼，著急地往外擠時，忽然看到辛讜神色慌張往城裏頭鑽，路人不免好心相勸：『你難道不知，盜賊要來了，人人往南走，你一個勁兒北行，莫非找死不成。』

辛讜知道跟這些人扯不清楚，也懶得開口。人們看這位中年人一心一意去『尋死』，也沒工夫多加理會。到了泗州，賊人已兵臨城下，辛讜僱了一隻小舟，進入城中。

杜滔見到辛讜，感激地握緊他的手，立刻任命他爲團練判官，負責軍事作戰任務，馬上進入備戰狀況。

龐勛晝夜不息猛攻泗州。泗州岌岌不保，朝廷派郭厚本前來救援。郭厚本到了洪澤鎮，一看，乖乖，賊兵如此兇狠，嚇得不肯再往前進。辛讜在半夜，乘著小舟，到達洪澤，勸說郭厚本出兵，郭厚本就是不肯，辛讜只有怏怏而歸。回到泗州，赫然發現，賊兵要燒水門了，心一橫，再向杜滔請求出城請援。

『你剛剛不是白跑一趟？爲什麼還要去？』杜滔萬分不解地望著辛讜。

『此行我得兵，則生返，不得，則死之。』辛讜痛下決心地起誓，杜滔流著眼淚把辛讜再度送上小舟。

辛讜駕著小舟，飄飄盪盪的突出重圍，再度到了洪澤，向郭厚本陳述利害。

郭厚本原先都答應了，豈料淮南都將袁公弁說：『賊人情勢如此，咱們自保尚且來不及，那有工夫去救人？』

『你說什麼？』辛讜拔出劍，惡狠狠對公弁說：『你受詔援救，竟敢逗留不進，豈止上負國恩。如果淮南淪入賊手，你又豈能獨存？我不如殺了你！』要不是郭厚本阻止得快，一把抱住辛讜，袁公弁就只有上西天了。

辛讜說著，回頭望著泗州，哽咽地哭了起來。郭厚本只得派了五百人給辛讜，辛讜離位起身，向五百人重重叩頭。

當五百人快到了泗州，遠遠望見賊人正在攻城，其中有一軍吏道：『現在走還來得及。』辛讜回身揪住這軍吏頭上的髻就準備一刀殺了，大夥急著搶救，偏偏辛讜力氣大，搶不走他手上的劍。最後辛讜說：『你們趕快上船，我就饒了他。』就這樣，一群人爭先恐後救泗州。

從此，泗州攻守之戰長達七個月之久，孤城被圍，辛讜曾數度冒險突圍求援，最後賊平。可見得中國每次危亡之際，總有見危授命的志士挺身而出，此為中華之精神。

閱讀心得

【第344篇】唐懿宗與唐僖宗。

唐文宗時代，一心一意想除宦官，卻發生了甘露之變。從此之後，在中央政府內宦官權勢凌駕朝臣之上，而唐朝皇帝更被宦官玩弄於股掌之上。唐文宗在甘露之變後的第五年，因謀殺宦官不成功，神思恍惚，憂傷鬱鬱而死。

文宗之後經過了武宗、宣宗，再傳至唐懿宗，年十七歲即位，又是一個少不更事的小皇帝。

　　唐懿宗喜好音樂宴遊，殿前的樂工，始終維持在五百人左右。每個月要大宴十餘次，樂此不疲，而且喜歡出外遊玩。每次出去遊幸，要備妥音樂、飲食，一大堆吃的、用的、玩的，還要派十餘萬人伺候。如此奢侈，所費驚人。

　　他的女兒同昌公主出嫁，唐懿宗不但給了她五百萬貫，又打開內府寶庫，大大賞賜。以至於同昌公主家中井欄、藥罐、食櫃、水槽、盆甕全部都是金鏤的；床鋪則是玳瑁、琉璃打造的。

　　皇帝如此鋪張，費用自何而來？當然是老百姓遭殃。『凍無依，飢無食』『夫妻不相活』『父子不相救』，貧苦人家只好賣女兒，其父母『得錢數百，米數斗而已』。

華堂今日綺筵開
誰喚分司御史來
忽發狂
兩行紅粉

不但唐懿宗一人如此，他手下的官吏也是如此奢華。

有一回，唐懿宗爲了軍費而發愁，召集臣下商討如何向老百姓搜括。其中一個叫陳蟠叟的至德縣縣令，竟對皇上說：『只要破邊咸一家，可以養活全軍兩年。』

『噢？誰是邊咸？』唐懿宗問道。

陳蟠叟說：『路巖的親戚。』

路巖是唐懿宗手下的一名大臣。唐懿宗一聽，認爲陳蟠叟有此謬論，至爲可恨，立刻把他發配到愛州。當然，沒有人敢再不知死活大膽妄言。

路巖一個親戚的家產，居然可以供應國家兩年的軍費，那麼曾做過八年宰相的路巖，他有多少財產，也就可想而知啦！

唐懿宗在佛教上面的花費亦是不計其數。咸通十四年，他派人到法門寺迎佛骨，廣建寺廟、寶帳、幢蓋，上面都綴滿了金玉錦繡珠翠。從京城到寺廟之間三百里，道路車馬晝夜不絕。

臣子裏有上諫皇帝的，拿唐憲宗迎佛骨之後，不久就歸天之例子，希望唐懿宗打消此議。不料唐懿宗胸有成竹道：『朕生而得見佛骨，死亦無恨。』

說來也湊巧，當四月間佛骨迎到京師，六月間，唐懿宗就一病歸天。唐懿宗在位十四年，民不聊生，地方大亂。上篇所提到的龐勛之亂，就在這段時間發生的，此爲唐朝由亂而亡之大關鍵也。

唐懿宗之後，唐僖宗即位，更是一個活寶皇帝。他是由宦官劉行深等人擁立的，即位時年僅十二歲。

當唐僖宗還只是普王的時候，十分寵愛一個宦官叫田令孜的。田令孜當時是小馬坊使，常常與普王玩在一塊。

唐僖宗當了皇帝，大概還不知道皇帝是治理天下大事的，每天不幹別的，就是玩遊戲。所有政事都交給田令孜，他甚且叫田令孜爲阿父。

這位『阿父』先知樞密，後來竟然當上神策中尉。田令孜讀過一些書，有點兒小聰明，很會招攬權術貪汙納賄。他任用官吏根本不通告僖宗一聲，因爲僖宗對這些也沒興趣，不好玩嘛。

田令孜每回去見僖宗，總是自備兩盤果盒，裏面擺滿了各種小皇帝最愛吃的各色零食。他二人捧著食盒，一邊喝酒，一邊吃零嘴兒，十分的快活，總要鬧個半天才散。田令孜對僖宗，完全是哄小孩兒的辦法。

唐僖宗喜歡與樂工伎兒狎習親熱；身為皇帝，出手可不能寒傖，一賞數以萬計，直把府庫掏空為止。田令孜拿著簿籍，挨個兒搜括長安大戶。若有誰不服，想向上陳述，立刻交給京兆杖殺之，人民敢怒不敢言。

這個寶貝皇帝沒有別的本事，擊毬、鬥雞、賭博都十分在行，尤其會打毬球。他有一次對一個優人（演戲的人）石野豬道：『假如舉辦一個擊毬的進士舉，朕一定可穩拿狀元。』

石野豬笑笑說：『若是遇到堯舜做禮部侍郎，恐怕陛下仍然不能入選。』這是諷刺僖宗品德太差。但是僖宗也不以為意，依舊是笑個不停。

在這種情況之下，民怨沸騰，政事大壞。當時，國家有兩件大麻煩，一為西南南詔的蠻人作亂，一為國內的天災人禍。

在唐僖宗乾符元年，翰林學士盧攜上言：『臣見到去年關東旱災，麥子只有一半收成，貧窮人家只有食槐葉過活，坐守鄉閭，無所投靠。而州縣以上官吏，催繳稅收甚急，動則捶撻百姓。人民就是撤了房子，賣了妻兒，也不過能供應稅吏酒食之錢，實在無法繳稅；何況除了租稅之外，還有徭役。朝廷若不撫恤，百姓實無生計……。』

當然，僖宗不理這個上書，老百姓走投無路只有去當強盜。龐勛之亂以後，黃河下游、淮南、淮北一帶，多是鋌而走險的亡命之徒，其聲勢如火如荼；終於爆發了歷史上著名的王仙芝與黃巢之亂。我們讀歷史，只背人名年代實在沒有多大意思，任何一件事的發生都有前因後果。大家都知黃巢之亂殺人如麻，了解了時代背景之後，可以有更深一層的體會。

閱讀心得

【第345篇】

王仙芝之亂。

自唐懿宗之後，奢侈日甚，用兵不息，百姓萬分痛苦。

僖宗乾符元年，關東地區嚴重水旱，州縣又不肯報荒。州縣地方官不報災情是有原因的，因爲當時地方官的考績是依户口的賦稅而定；如果報荒，少收百姓的稅或者免稅，地方官考績受了影響，就不能升官。所以爲著自己的錦繡前程，有災也硬是不肯報。

例如，陝州有位名叫崔蕘的刺史，在老百姓報告荒旱時，他老大不開心，指著庭院中的樹道：『你看看，這樹上還有葉子，何得謂旱，分明是刁民！』這『刁民』被拖下去打屁股，當然還是要繳稅。

州縣不以實報，上下相矇，苦的是老百姓，沒有地方可以訴冤，只有相聚爲盜。再加上太平的日子過久了，官兵打不過強盜，到處都是亂哄哄的一片，其中以王仙芝的一股力量最浩大。

王仙芝是一個私鹽販子。在唐朝，鹽是國有的。自唐德宗之後，鹽稅一天比一天增加，老百姓吃不起鹽，只好淡食。可是淡食太難吃，對講究美食的中國人而言難以忍受，何況鹽又是維持身體養分不可或缺的。於是，私鹽販子應運而生。

當時，官廳對於私鹽販子處罰得很兇，販鹽一斗者沒收車子，一石者

處以死刑。然而俗話説得好，賠錢的生意沒有人做，殺頭的生意有人做。販賣私鹽有暴利可圖，有興趣的自然大有人在。甚且，私鹽販子爲了抵抗官廳的查緝，竟然組成了軍隊，對抗官軍。

王仙芝這一夥私鹽販子，在官廳的捉拿下，開始造反。他自己封了一個很神氣的封號『天補平均大將軍，兼海內諸豪都統』。河北一帶樸實農民，受不了苛捐雜稅天災人禍，也紛紛加入王仙芝的行列。

就在這時，曹州的黃巢也加入了王仙芝。黃巢也是一個私鹽販子，他倒不與一般鹽梟一樣，是一個大老粗，他讀過一些書。他屢次參加考進士沒有考中，心懷不平，思想走上偏激之路，這點倒與洪秀全有點相像。

黃巢在曹州起兵不久，民間流行一首歌謠『金色蝦蟆爭怒眼，翻卻曹州天下反』。在《全唐詩》卷七三三之中，錄有一首黃巢的不第後賦菊『待到秋來九月八，我花開後百花殺；衝天香陣透長安，滿城盡帶黃金甲。』可見其人殺氣騰騰。

王仙芝與黃巢兩人會師之後，不一會兒，山東一帶居民都爭先恐後地加入，群眾達數萬人之多。剽掠十餘州，京師震驚。

乾符三年七月，唐朝將領宋威在沂州大破王仙芝，高興得要命，急著向朝廷邀功，說是王仙芝敗死。自己回到青州，也把軍隊遣散了。朝廷大喜，百官入朝稱賀。過了三天，州縣地方官奏稱王仙芝還在，這個死人又活回來了，繼續地攻城掠剽。於是遣還的軍隊，又奉到命令再次集合。大家心裏都火得很，打起仗來更懶洋洋，只想要休息。

九月間，王仙芝攻陷汝州，俘虜刺史王鐐。王鐐是宰相王鐸的堂兄弟，關係非比尋常，朝廷上下爲之震撼不已。十二月，王仙芝攻蘄州。蘄州刺史裴偓是宰相王鐸拔擢的進士，由於有師生關係，被王仙芝關在牢中的王鐐，寫了一封信給裴偓，希望雙方不要開戰，請裴偓爲王仙芝向朝廷求官；那麼，王鐐也可以被放出來了。

裴偓不想開戰，也想賣宰相王鐸一個人情。打開城門，邀請王仙芝、黃巢等人入城，大吃大喝一番。

朝廷接到裴偓的信，爲了救宰相王鐸的堂兄弟，也沿襲一向採取的安撫政策，一致答應給王仙芝一個左神策軍押牙兼監察御史的官職，而且，馬上派了宦官把告身（任官令）帶到蘄州。

王仙芝一個私鹽販子，竟然做了監察御史，高興得手舞足蹈，王鐐爲了早日逃出土匪窩也急忙入賀。可是，有人不開心，那個人就是黃巢。黃巢是想做官想得要命，屢次投考不成才造反；如今王仙芝入朝爲官，他竟然沒有，這口氣如何忍得下去？

於是，黃巢大喝一聲，猛拍桌子道：『我們當初共立大誓，橫行天下，今天你一個人赴左神策軍當官去了，我們這剩下的五千人怎麼辦，你說！』

兩人一言不合，就動手打了起來，黃巢把王仙芝的頭打破了。其他的部將也不答應降唐；王仙芝見衆怒難犯，不敢降唐，先佔領了蘄州再說。刺史裴握逃亡鄂州，宰相王鐸的弟弟王鐐繼續被看管。不過，自此而後王仙芝與黃巢分了家。

後來，宦官楊復光派人又勸王仙芝投降，這回沒有黃巢作梗，王仙芝也心動了，派遣大將尚君長接頭。此時，上次謊報王仙芝戰死的宋威在中途攔截了尚君長，又假報與『尚君長在潁州西南大戰一場，生擒以獻朝廷』，朝廷不能明察，把尚君長處死。

王仙芝氣壞了，戰場上連連失利，最後被唐朝軍隊追及，當場戰死。王仙芝手下的一批人，眼看尚君長投降，竟然被處死，心一涼，又投奔黃巢，王仙芝起事告一段落。然而，規模更大的黃巢之亂正如火如荼的展開。

閱讀心得

【第346篇】黃巢之亂。

唐朝末年，君主昏庸，天災人禍，私鹽販子王仙芝與黃巢起事，到處竄掠。後來，王仙芝敗死，餘黨歸黃巢所有。

黃巢十分興奮，自號爲衝天大將軍，然後上表皇帝，請求做爲天平節度使。朝廷不許，黃巢再上表請求爲廣州節度使，唐僖宗命令朝臣們討論。其中，左僕射于琮以爲：『廣州乃商旅買賣，市舶往來，寶貨聚集之地，怎麼可以落入賊人之手。』其他臣子也深以爲然。於是，決定另外給黃巢一個率府率的小官安撫。

三個月之後，黃巢接到告身(任命狀)，勃然大怒，集合了軍隊就往廣州猛攻，當天廣州城陷。黃巢一把抓住廣州節度使李迢，要他代爲向皇帝草擬求官的奏章。李迢不肯就範，他對黃巢說：『我世世代代都接受國恩，親戚滿朝，腕可斷，表不可草。』

『好，有骨氣。』黃巢當下就把李迢殺了。

黃巢佔領了廣州，士卒水土不服，嶺南的瘴癘之氣使得兵士們十分之三都害了病，黃巢只有先北返。他編了幾千張大筏，利用暴漲的洪水，一路連破永州(零陵)、衡州(衡陽)、潭州(長沙)。

等到黃巢到了襄陽，中了劉巨容之計，損失慘重。有人勸劉巨容乘勝

窮追不捨，可以把黃巢一網打盡。劉巨容意味深長地笑著說：『國家一向辜負臣子；有危急之時，撫慰有關將士，不願意賜給官爵及賞賜，等到亂事平定了，就把功臣拋在一旁，甚且因功獲罪。不如留賊，做爲求取富貴資本。』

有此將領，國焉不亡？但是劉巨容講得也有幾分道理；唐朝末年，宦官用事，皇帝糊塗，的確是善惡是非不分。

廣明元年五月，黃巢在信州屯紮，正遇到瘟疫，卒徒多死。黃巢向淮南節度使高駢請降，求高駢代向朝廷保薦呈奏；高駢準備生擒黃巢，滿口答應。當時，昭義、感化、義武等軍都在淮南，高駢惟恐人家分他的功勞，急忙上奏朝廷：『賊不出數日即平，不煩諸道兵，請全部遣歸。』朝廷一見大喜，立刻准了奏章。黃巢知道大軍遠走，心裏頭不怕了，又從敗部復活，聲威更盛。這就是高駢沒有團隊精神而自食惡果。

不多時，黃巢打下洛陽，京師震恐。唐僖宗著急得直抹眼淚，以宦官田令孜為總司令，命張承範領神策軍出長安。

神策軍理該是鎮守京師最為強勁之隊伍，然而，神策軍的成員都是長安富豪之家子弟，賄賂宦官，補了一個軍籍，每月領了厚厚的軍餉。衣著華麗，騎著駑馬，只會憑勢使氣，欺負老百姓，從來沒有上過戰場。這一回聽說真的要上前線了，嚇得直打哆嗦；父子抱頭痛哭，想一想，萬一真的打死了多划不來。大半出一些錢，僱用京師生病的乞丐代打；這樣的叫化兵，如何能夠打仗？

無論如何，只有讓這群神策軍開拔了，前往潼關，抵擋黃巢，一仗就打垮了。黃巢入華州，迫長安，唐僖宗急忙發表黃巢爲天平節度使，黃巢那兒會理他？

長安城中，君臣對泣，唐僖宗一籌莫展。只有效法唐玄宗奔蜀的故事，匆匆忙忙帶著福、穆、澤、壽四王及幾個妃嬪逃離，連朝臣都不知道。

皇帝溜了，黃巢大搖大擺地入長安，金吾大將軍張直方帶了數十人在灞上迎接。黃巢可神氣哩，肩輿上以黃金爲裝飾，所有的士兵都披散著長髮，束著紅巾，衣服全用錦繡裁製而成。執兵以從，甲騎如流，絡繹不絕，人們都在道路兩旁觀看。

黃巢很是得意，下了一道命令：

『黃王起兵，本爲百姓，不像李氏（按

唐朝姓李），不愛你們；你們安居過日子不要害怕。』話說了沒有多久，黃巢士兵出外大搶特搶，焚燒市肆，殺人滿街。

黃巢因爲屢次考試不中，對官吏尤其憤恨，只要看到官吏，非殺不可。到了後來，凡是城中有能作詩的都殺掉，識字的都當了賤役，這大概也是一種心理變態的報復行爲。

唐僖宗逃到成都，又號召兵馬，收復京師。同時，黃巢在長安，雖然當了皇帝，他這個皇帝的天下是極小的，四面受敵。於是率衆退出長安，駐軍灞上。

黃巢一離開長安，程宗楚後腳就踏入長安的延秋門。老百姓聽說官軍入城，興奮地互相報喜，爭先恐後出來歡迎。有的拿著破瓦片向賊兵丟去，也有的拾起地上的箭給官軍使用。

然而，官軍的紀律也是同樣的差；他們照樣衝入民舍，掠取金帛，欺負婦女。黃巢知道官軍沒有規矩，再發動反攻，又搶回了長安。

黃巢再度回到長安，痛恨老百姓幫助官軍；氣憤之餘，縱容士兵展開大屠殺，流血成川，稱之爲洗城，眞是夠慘了。

最後，唐朝政府沒有辦法，請來沙陀兵。沙陀兵將領李克用只有二十八歲，是一個獨眼龍，厲害得不得了。他的士兵全穿深黑色的衣服，號稱鴉軍，猛悍無比。黃巢軍見到沙陀兵，大呼：『鴉軍來了，鴉軍來了！』嚇得掉頭就跑。

黃巢眼見大勢已去，無法挽回，自刎而死。黃巢之亂始自乾符二年到中和四年，前後整整十年，蹂躪全國，殺人如麻，是中國歷史上最有名的大浩劫。黃巢雖死，唐朝氣數也差不多了，政治不良，百姓流離。在古代專制制度下，人們沒有辦法；在民主政治時代，我們豈可不關心國事不關心政事？

閱讀心得

【第347篇】李克用與鴉軍。

殺人如麻，號稱洗城的黃巢，最後被獨眼龍李克用率領的沙陀兵打敗。李克用的四萬兵隊都穿黑色戎裝，黃巢軍隊怕死了這群烏鴉，因此稱李克用爲李鴉兒。

李克用是打那兒冒出來的？

沙陀兵又是怎麼一回事呢？

沙陀原是西突厥的一個小部落；唐憲宗時，沙陀部族被吐蕃打敗，逃入唐朝境內投降唐朝，這個時候沙陀的首領是朱邪執宜。

唐朝把沙陀族人安置於河套一帶；這時沙陀族人只不過二三千名，但是勇敢善戰，頗有胡人雄風。唐朝朔方節度使遂利用沙陀兵來抵抗其他外族。開始有計畫地培養沙陀的勢力，替沙陀族人購買牛羊畜牧，生活逐漸安定。散居在北方各地的沙陀人，也紛紛前來歸附朱邪執宜。

後來，朱邪執宜來到長安，皇帝賜他大量金帛，又組成一千兩百多名的騎兵，號稱爲沙陀軍，遷居到山西北部綏遠東部一帶。朱邪執宜曾幫助唐朝打敗吳元濟。

朱邪執宜死了以後，其子朱邪赤心繼任爲沙陀軍的首領，曾經幫助唐朝打敗回紇、吐蕃。龐勛之亂時，沙陀平亂有功，唐朝任命朱邪赤心爲大

同節度使，賜姓爲李，名國昌。

李克用正是李國昌之子。關於李克用的誕生，在舊五代史上有一段神話傳說：

李克用是李國昌第三個兒子。他的母親秦氏懷胎十三個月，還沒有把小孩生出來，叫人十分著急。到了大中十年九月二十二日，秦氏忽然頭冒冷汗，身體非常不舒服；族人看了又憂心又害怕，急忙去鴈門抓藥。結果在路上碰到一個神仙，神仙對族人們說：『這件事不是巫醫所能辦得了的；你們趕忙回去，召集所有的族人，披甲持旌，大聲擊鉦鼓，騎在馬上盡量吵鬧，圍著秦氏住的地方鬧三圈就沒事啦。』

族人們將信將疑趕了回去，照著神仙所說的去做。果然，秦氏順利生下一個胖兒子，母子平安。當時虹光燭室，白氣充庭，連井水都突然暴漲，李國昌高興萬分，認爲是天降貴子。

李克用慢慢長大了，擅長騎射，同年齡的小朋友，沒有一個可與他相比。在十三歲那年有一天，李克用見到兩隻野鴨在天空飛翔，他一箭射出，兩隻鳥兒應聲而落。眾人拍手叫好，都誇這個小孩不簡單、不簡單。

過了沒多久，有一天，毗沙天王祠前的一口井忽然沸騰，白花花的水不斷地湧出，沙陀人看得都嚇呆了。李國昌手持卮酒奠祭道：『我有尊主濟民之大志，不知爲何井溢，不能察其是禍是福。如果天王有神奇，請出面與我談一談。』

說著，李國昌把酒灑在地上，正在這個當兒，神人出現了，披金甲持戈，猛然自牆壁中冒了出來。大家都急著逃命，只有李克用這個小朋友，不慌不忙從從容容退出，比大人還要勇敢，益發證明了不一樣就是不一樣。

在中國古代，對於天命十分崇信，政治上獲得權位往往被視之爲天命。所以許多帝王之誕生都有類似的神話，不足爲奇。

當李國昌奉命去打龐勛時，十五歲的李克用也跟著出征。他衝鋒陷陣，所向無敵，軍人給了他一個稱號——『飛虎子』。龐勛之亂平定以後，唐朝政府授李國昌為振武節度使，李克用爲雲中牙將。

有一天，李克用喝得醉醺醺，擁著美女在休息，忽然有一個刺客拿著刀想要謀害李克用。當刺客衝入內室，竟然發現帳中有熊熊烈火，嚇得刺客轉身而逃，才知道李克用果然神奇。

後來，李國昌李克用父子跋扈抗命，唐朝派兵討伐，李國昌父子爲唐軍所敗，奔往韃靼。韃靼酋長頗爲猜忌李氏父子。

李克用看在眼裏，時常與韃靼高級首領出獵。他把馬鞭放在兩片樹葉中間，一射就射中；射天上的鵰也是一箭雙鵰，使得韃靼心服口服。打完了獵，李克用又與韃靼痛飲。喝得酒酣耳熱之際，李克用對韃靼首領說：『我不幸得罪唐朝天子，願効忠天子而不得。今聞黃巢北來，必爲中原大患，一旦天子開赦吾罪，我願與公立大功，不亦快哉！人生幾何，豈能老死砂磧？』

這番話，表明了李克用無意久留韃靼，使得韃靼酋長釋然。可見李克用不但有勇且有謀。

後來，黃巢攻入長安，唐朝軍隊抵擋不住，果然招撫李國昌父子率兵勤王。這個時候，各地趕來的部隊集中於京師，然而沒人敢與黃巢交鋒。可是一聽說李克用李鴉兒的鴉軍要到了，賊師互相警告：『鴉兒軍至，當避其鋒。』

最後，李克用的沙陀軍，收復長安，唐朝授李克用為河東節度使（河東節度使管轄山西省中部與北部）。

在唐朝末年，盛行養子制。李克用養了不少養子，個個能征善戰，演義小說及平劇之中十三太保就是講這段故事。十三太保並無其事，不過，李克用是中國歷史上大家熟悉，而且有趣的人物。

閱讀心得

【第348篇】

李克用與朱全忠結怨。

黃巢的軍隊最怕號稱李鴉兒的獨眼龍李克用，一聽說鴉軍來了，黃巢的軍隊就急急抱頭鼠竄。最後，李克用收復長安，朝廷任命他爲河東節度使。

長安雖然收復了，黃巢的兵勢仍強。僖宗中和四年，朱全忠等人共同向李克用求救。李克用親點五萬人馬，出天井關，在西華一帶殲滅黃巢軍隊一萬多名。

這天晚上，忽起狂風暴雨，水深數尺。黃巢的軍隊已被李克用打得盔歪甲斜，軍勢已疲。這場大雨震雷下來，營帳軍馬統統被水沖去。李克用趁著混亂狀態，派大批人馬殺了過來。黃巢軍向東北撤退，李克用再追。黃巢帶了妻子兄弟竄入曹州，李克用仍在後猛追不捨。

中和四年的五月裏，李克用到了汴州（河南省開封市）。宣武節度使朱全忠在封禪寺迎接李克用大軍，請李克用入汴州休息。李克用甚爲高興，當仁不讓地接受朱全忠的慰勞。

朱全忠乃五代時期後梁開國的皇帝梁太祖也。他本名叫朱溫，江蘇人氏，唐宣宗大中六年出生。據傳說，他誕生的那天，鄰居們看到朱家房子著火了，烈焰沖天，大夥兒驚奔前來救火，當大夥兒提了水桶來到朱家門

口，發現並未失火，却聽到屋內傳來嬰兒的哭聲，原來是朱家媳婦剛剛生了一個小男孩兒，鄰居們都覺得奇怪極了。

朱溫的父親朱誠一是一位在鄉下教書的老實人，靠舌耕過日，非常清苦，沒多久病逝了。朱溫隨著母親到蕭縣劉崇家去幫傭。

朱溫一天比一天長大了，愈大愈叫人討厭。因爲朱溫是個懶漢，人也猥瑣，不肯做工，常常挨主人的打罵，又常自誇雄勇。鄉里的人見了朱溫走來，立刻遠遠地避開，沒人願意與朱溫多講兩句話。

只有朱溫的母親把這個兒子當寶貝。朱溫長得很大了，母親還是天天幫他梳頭髮，而且時時告誡家人：『朱三不是尋常人，你們要對他特別好。』

『噢，爲什麼？』家人頗不以爲然。

『因爲有一天晚上，朱溫睡熟了，我看到他變成一條紅色的大蛇。』

朱溫的母親一本正經地訴說著，不過沒什麼人把它當一回事。雖然母親一個勁兒地寵著朱溫，其他人卻對朱溫沒有好感；加上經常遭到主人的鞭打，朱溫自小心中滿懷仇恨。因此當黃巢起事時，朱溫就加入了叛軍造反，當上一名小軍官。等到黃巢攻下長安，朱溫被黃巢任命爲東南面行營都虞候，後來又做到同州防禦使。

不久，黃巢漸漸走上衰路，朱溫看看苗頭不對，覺得再跟著黃巢自討沒趣。於是背叛黃巢，投降唐朝，唐朝賜名朱全忠，任命爲宣武節度使。

這會兒，李克用來到汴州，大軍駐紮於城外。朱全忠親往迎接，並且把李克用的三百從官安置於上源驛，用上賓之禮接待。

當天下午，朱全忠擺下酒宴，無論聲樂酒菜皆爲一時之選。朱全忠親自爲李克用夾菜倒酒，禮貌周到。

李克用也乘酒使氣，不客氣地調戲歌妓。與朱全忠握著手，暢談直搗黃巢的英勇事蹟，說得口沫橫飛得意忘形。懷中的妓女又猛讚英雄威武，李克用益發豪情萬丈，一杯又一杯地猛灌老酒。對朱全忠愈來愈沒有禮貌，甚且當面取笑朱全忠，朱全忠忍住氣，準備夜晚時暗害李克用。

到了將近黃昏的薄暮時分才罷酒，李克用的手下都醉得東倒西歪。到了半夜，朱全忠與宣武將楊彥洪見計得逞，把車輛都連接在一起，並且樹立木柵擋住去路，發兵攻擊李克用住的招待所，呼聲驚天動地。

李克用通宵達旦鬧了一個晚上，早已醉得不省人事，什麼聲音也聽不見。他幾個親信衛隊與朱全忠的將士格鬥。一個叫郭景銖的隨從急中生智，吹滅了蠟燭，把李克用擡到床下，拿來一盆清水澆在李克用的臉上。

李克用這才慢慢酒醒，郭景銖悄悄在他耳旁說道：『朱全忠想謀害你。』李克用慌慌張張拿著弓箭往外跑。也許是命不該絕吧，此時大雨震雷，天地一片晦暗冥昧，簡直不辨人物，李克用便趁著這個時候逃了出去。

以前楊彥洪對朱全忠說：『胡人一急就會騎馬，你看到誰騎馬就趕快射箭，李克用這個沙陀人可跑不掉了。』這天晚上一片模糊之中，朱全忠見有一人騎馬，趕快拉弓射箭，結果射死了楊彥洪自己。

李克用氣急敗壞趕回了營區，回想這場鴻門宴心有餘悸，與夫人劉氏抱頭痛哭一場。到了清晨，李克用氣得馬上要發兵去向朱全忠討回公道。

劉夫人頗有智慧謀略，她柔聲地勸告李克用：『你此次爲國討賊功勞極大，雖然朱全忠想謀害你，幸虧上天保佑，你平安地逃出虎口，我們要把這件事報告朝廷，我相信朝廷必然會作公正的裁判，如果我們現在領兵去攻汴州，則曲在我方，天下又怎知誰是誰非？』

李克用聽了劉夫人的話，暫且不報仇，寫了一封信責備朱全忠。朱全忠推得一乾二淨，回了一封信：『前夕之變，我事先並不知道，是朝廷遣宦官與楊彥洪同謀也。』

李克用恨得牙癢癢地，他上書朝廷痛責朱全忠。朝廷見到李克用的報告，大爲恐慌，又不敢得罪朱全忠，只對雙方加以安撫。李克用打敗黃巢，累立大功，朝廷竟然不能洗冤，大爲不滿；而朱全忠做了壞事，朝廷也不敢加以處罰，使朱全忠看透了唐朝外強中乾，是個紙老虎。

從此，李克用與朱全忠結下不共戴天之仇。李克用也與僕固懷恩一般，自恃功高，卻有冤不得雪，對朝廷日益不滿。

閱讀心得

【第349篇】天子門生。

就在一片混亂的狀態之中，唐僖宗去世。宦官楊復恭與劉季述共同迎立僖宗之弟李曄爲皇帝，是爲昭宗。現在我們要講唐昭宗與楊復恭的故事。

唐昭宗即位之時，年僅二十三歲，正當英年，很想振作，整肅宦官與藩鎮，以挽回國家的命運。當時，朝臣與宦官彼此之間的對立更加尖銳化。

自從『甘露之變』以後，南衙（朝臣）與北司（宦官）簡直形同水火。宦官與朝臣之間的對抗，由於宦官手中握有禁軍，因此，在中央政府內宦官的權勢總是凌駕在朝臣之上。朝臣想救皇帝，心有餘力不足，可憐的皇帝只有被玩弄於股掌之間。

楊復恭的父親楊玄翼，在唐懿宗咸通年間就是大宦官。宦官本來不能生育，沒有親生子女，然而，唐朝的宦官盛行養子制度。認養許多別人生的小孩，作爲自己的兒子，宦官也會將一些養子閹割，成爲小宦官，使得他的權勢財富可以藉養子而傳下去。另外一方面，從僖宗以後，武將地位重要，因此宦官也收了一些武將爲養子，用以把持軍隊。楊復恭即是在宮中被收養的小宦官長大的……

楊復恭讀過幾天書，頗有謀略。在龐勛之亂中，因督戰有功被擢升爲樞密使。黃巢之亂前後，宦官田令孜作威作福，沒有人敢與他相抗，只有

楊復恭常常與田令孜互爭得失。

後來，楊復恭漸漸取代田令孜的地位。文德二年唐僖宗忽然生了急病，軍民一致驚恐。群臣們以吉王最賢，主張立吉王爲帝，楊復恭卻堅持擁立壽王。最後，楊復恭勝利，壽王在柩前即位，是爲唐昭宗。

由於楊復恭有此功勞，唐昭宗一上位，立刻賜他鐵券，加金吾上將軍。所謂鐵券是古代用來頒贈功臣的東西，如果功臣本人或後世犯了罪，拿出鐵券爲證，可以赦免其罪。楊復恭領了鐵券之後，益發驕狂。

唐昭宗有一個舅舅王懷，想要謀取節度使的官職，昭宗詢問楊復恭的意見。

楊復恭把臉一揚：『三思危唐，后族不可封拜。』（三思指的是武則天之姪兒武三思）意思是說，武三思危害唐朝，可見皇后之親族不可封拜官職。

王懷聽說這件事，怒由心生，跑到宮中把楊復恭狠狠臭罵一頓：『你這個小宦官竟敢壞我的事！』

宦官本來都有強烈的自卑感，楊復恭劈頭被罵了一頓，心裏恨得不得了。表面上不動聲色，上奏爲王懷請求任命黔南節度使。

王懷甚爲高興，興沖沖地走馬上任，還以爲發了一頓脾氣挺管用的。豈料，楊復恭命養子楊守亮，悄悄派了人在船上做了手腳，行至半途，王懷及隨行全部遇難。

王懷遇難的消息傳到京師，唐昭宗心痛萬分，卻也無可奈何。

楊復恭當時把養子都派到各州當刺史，號稱『外宅郎君』；又派了六百養子掌管各道監軍。天下威勢，可說完全集中在一人之手。

其中有一個叫楊守立的養子，原名為胡弘立，厲害極了，任命為天威軍使。唐昭宗很擔心萬一斥退楊復恭，楊守立會起兵作亂，於是和顏悅色對楊復恭說：『卿家胡子現在那兒？我想請他擔任保衛皇宮之責任。』

楊復恭把楊守立帶入宮內，唐昭宗立刻賜姓李，而且為他改了一個名——李順節，派他掌管六軍管鑰。想李順節當初尊楊復恭為義父，也不過是互相利用，如今既得皇帝恩寵，自然不把義父看在眼中，甚且還暴露楊復恭之陰私，這正是唐昭宗之目的。

當然，這一點小挫折，對楊復恭來說不算什麼，他還是威風八面乘著轎子入殿。通常臣子快到殿外，理該早早下轎，表示禮貌；楊復恭故意不理，表示自己有特權。

有一回，唐昭宗與宰相孔緯在談論叛亂之事，孔緯忽然說：『陛下左右將有造反者。』唐昭宗吃驚地站了起來。

孔緯正色指一指楊復恭。楊復恭馬上反駁：『臣豈負陛下？』

『哼！』孔緯冷笑一聲：『復恭，陛下的家奴，竟然乘著轎子上殿，而且又廣樹養子，不是造反是什麼？』

『臣欲收士心用以輔佐天子。』楊復恭不慌不忙地回答。

這時候，昭宗忍不住開口了：『你要收士心，爲什麼你的養子不姓李，要姓楊？』（因爲唐朝姓李）這番話，說得楊復恭無言以對。

不久，孔緯出守江陵。楊復恭派人把孔緯劫到長樂坡，搶劫一空，只是沒把孔緯送上西天，可見楊復恭之跋扈。

楊復恭的兩個兒子楊守貞、楊守忠都當節度使，卻不肯繳納貢賦，而且上書訕罵朝廷。大順二年，唐昭宗終於痛下決心，罷楊復恭兵職，任命爲鳳翔監軍。楊復恭不肯就任，上表致仕（退休），朝廷准了退休。楊復恭卻正式割據一方，在玉山營，正式抗命朝廷。

最後，靠了節度使李茂貞的力量（李茂貞也是一個跋扈的藩鎮），平定楊復恭。楊復恭被囚車押運，送往長安斬首示衆。

到了長安，李茂貞交出一封楊復恭寫給兒子楊守亮的信，信中說『天下本爲我隋家舊業（隋朝姓楊，所以楊復恭往臉上貼金），我披荊榛，冒危險換立天子。誰知天子得位之後，竟然要廢我這定策國老，你說碰到這樣負心門生眞是沒可奈何。』

楊復恭居然把皇帝當成門生（即學生），可見唐朝宦官簡直不把皇帝放在眼中。

閱讀心得

【第350篇】

唐昭宗與劉季述。

楊復恭雖然被打敗了，唐昭宗還是繼續重用宦官。唐朝中期以後，皇帝有時因爲宦官權勢太大，皇帝的尊嚴與權威受到影響，希望誅除宦官。不過，所要誅除的只是少數的大閹。皇帝的政策可不是要誅盡宦官，而是掃除某一些少數大閹之後，將信賴給予新的宦官。這可能與唐朝初期皇位政爭有關，使得皇帝對太子不敢信任，對朝臣又有隔膜，只好信賴宦官了。

楊復恭時代過去了，劉季述繼之而起。此時，唐昭宗因爲到處兵荒馬亂，心情愁悶，開始有點兒喜怒無常、陰晴不定，誰碰上誰就倒楣。

唐昭宗痛恨宦官樞密使宋道弼與景脩務過於專橫，與宰相崔胤合謀，殺害宦官。因為崔胤與朱全忠有私交，便利用朱之力量把兩個宦官賜死。

此次事件爆發以後，無疑在宦官之中掀起一股巨浪。宦官之所以一手遮天，因為他們掌握了京城之中神策軍的軍權。然而到了唐朝末期，各地方藩鎮跋扈，不把賦稅繳到中央，神策軍缺少財源，自然走下坡。同時，各藩鎮又自建武力，使得中央與地方更是兵力懸殊。

至於朝廷中的臣子，向來看不起宦官。只是宦官手上握有兵權，朝臣鬥他不過。中國歷來的士大夫，多多少少都有忠君愛國之情操，對宦官的囂張早就看不過去了。如今，既然藩鎮比宦官更厲害，朝臣自然與藩鎮相

結合，也讓宦官有點兒心驚肉跳。

於是，宦官左軍中尉劉季述和其他宦官商量：『主上為人輕佻，反覆無常，難以侍奉；一切事專聽南司（當時人稱朝廷臣子為南司，宦官為北司），吾輩遲早終將受禍。不如奉太子立之，尊主上為太上皇，控制諸藩，誰也別想害我們！』

昭宗光化三年十一月，唐昭宗在宮城北邊禁苑打獵歸來，多喝了兩杯老酒；醉眼惺忪的情況下，殺了幾個小宦官及侍女。因為這個緣故，第二天到了辰巳時分，宮門還沒打開。

劉季述到中書省對宰相崔胤說：『宮中必有變故，我內臣也，得以進去看一看。』

於是，劉季述帶了一千禁兵，破門而入。問明原委之後，他對朝臣們說：『主上做這種事，豈可治理天下。廢昏君立明主，自古有之，今當以太子見群臣。』

說著，劉季述召集百官上殿連署廢皇帝的報告。崔胤等人怕被劉季述給殺了，一一簽上姓名。

這個當兒，唐昭宗正在乞巧樓，劉季述帶著太子一路殺了進來。自古皇宮為重鎮，那有兵士入後宮。唐昭宗看到大批人馬，嚇得掉到床下，正支撐著爬起來要往後溜，劉季述一把挾住昭宗，把他按到椅子上。

乞巧樓的宮人趕緊通知皇后，皇后著急地跑出來，對劉季述求道：『有事好商量，不要嚇到宅家（宅家是唐朝宮內對天子之稱呼）。』

劉季述拿出百官連署的字條，對唐昭宗說：『陛下厭倦帝位，中外群情，一致願請太子監國，請陛下到少陽宮自加保養。』

唐昭宗自己可沒有不想當皇帝，他搖搖手道：『昨天與你們喝酒喝得不錯，那有到這步田地？』

劉季述又道：『此非臣等所爲，皆南司（宰相）一致的請求，情勢所迫，不能遏止。請陛下暫且前往少陽院，待事情平定之後，再迎歸入宮。』

皇后怕劉季述等用武，馬上說：『宅家馬上依你的。』取來傳國璽，交給劉季述。

就這樣，皇帝、皇后與十多個嬪妃侍從，搬入少陽院。

太子在武德殿即位，昭宗號爲太上皇，皇后爲皇太后。

劉季述到了少陽院，用銀鞭在地上大聲抽來抽去。一邊甩鞭子，一邊怒聲責備昭宗：『你，某月某日，某一件事，你不聽我的話，其罪一也！』

銀鞭在地上一揮，劉季述又罵：『某時某事，你不從我言，其罪二也……』一直數了昭宗幾十條罪名，可憐的皇帝，就呆呆站在那兒挨訓。

等到劉季述罵累了，停了下來；把少陽院的門鎖了起來，用鎔鐵把鎖封死，再派遣左軍副使李節虔帶領兵隊團團圍住；唐昭宗一舉一動都逃不過劉季述耳目。少陽院的門被封死了，只好在牆上挖一個洞把食物送進去。

凡是兵器針刀、錢帛紙筆全部不能入洞。十一月裏天寒地凍，嬪妃公主沒有帶禦寒的冬衣，冷得嚶嚶哭泣。哭聲一陣又一陣傳到牆外，叫人聽了萬分不忍。

自此，劉季述控制內外一切。他爲了要立威，大殺特殺；凡是昭宗所寵信的左右宮人及方士一律被殺，每天早上有十輛屍車自宮中開出。

閱讀心得

【第351篇】過盡千帆皆不是。

唐詩、宋詞、元曲都是中華文化的瓌寶。詞雖流行於宋，在唐朝末年已經開始蔚爲風氣了。這回我們要介紹晚唐最具代表性的詩人——溫庭筠。

溫庭筠，本名岐，字飛卿，幷州（今山西太原）人氏，長得非常醜陋，自幼聰明非凡，不但能在頃刻之間飛筆就萬言長文，而且彈得一手好琴。他曾對人說：『只要是有弦的琴我就能彈，只要是有孔的樂器我就能吹，用不著什麼名貴的樂器。』

在當時，溫庭筠的詩賦與李商隱齊名，人們稱之爲『溫李』，他的文章高雅脫俗，也不免有點兒自恃才高。

溫庭筠爲人豪爽，頗爲放蕩，擅長於用華麗的詞藻描寫香豔的戀情。終日飲酒打牌，在娼家妓院中過日。據傳說，他有一位表親曾經資助過他，溫庭筠卻把錢全部浪擲在歡場中。這個親戚火大了，拿著竹鞭結結實實揍了他一頓。

溫庭筠狼狽而逃，撫著創痛有意痛改前非。當時他名爲溫庭雲，他將『雲』改爲『筠』字，上面的竹字頭用以提醒自己，這個傳說是否正確不可考。不過，溫庭筠始終本性難移倒是眞的。

以溫庭筠的才華，他中進士應該沒有問題；可是說來也奇怪，他屢試屢敗，幫人家做槍手倒是無往不利。

每當溫庭筠參加考試，他從來不打草稿。瀟瀟灑灑捲起袖子，把手肘靠在桌子上，一韻一韻的吟詠，稍加思索，立成一篇，因此人們稱之爲『溫八吟』；又因爲他只要叉八次手，馬上可成八韻，又被稱爲『溫八叉』。

溫八叉因爲老是不守考試場規則，爲人做槍手，因此被逐出考場之外，自己也別想金榜題名，於是便與一些公子哥兒令狐滈等鬼混。有一天賭了錢，喝完酒，歪歪斜斜地衝出門外，在大街上大喊大叫鬧酒瘋，結果被巡夜的打掉了門牙，臉也擦破了。他後來到衙門告了一狀，也沒爭回理。

溫庭筠雖然被推薦爲鄉貢舉士，但是幾度參加京師的考試沒有及格，當然不能做官。

宰相令狐綯倒是挺賞識溫庭筠的才氣，邀他到書房工作，而且給予極高的待遇。

當時唐宣宗在位，很喜歡『菩薩蠻』(詞調名)，令狐綯爲了討好唐宣宗，央求溫庭筠代作一首。

『好，沒問題。』溫庭筠拍著胸脯，滿口答應，不多時立刻寫成。寫完以後，溫庭筠自己愈看愈滿意，忍不住到處見人就說，逢人就講，令狐綯當然恨透了溫庭筠的大嘴巴。

又有一次，令狐綯請教溫庭筠關於『玉條脫』三字，不知出自何處？溫庭筠脫口而出：『此出於南華經，這本書也不算冷僻，大臣在公餘，也該多看看古書。』

回答問題也就罷了，溫庭筠實在不必訓令狐綯的。更過分的是，他竟然刻薄地對旁人說，令狐綯是『中書省內坐將軍』，譏誚一個爲朝廷治理大事之處，怎麼用一個如此沒有學問的武官。

從此，令狐綯漸漸對溫庭筠疏遠了，溫庭筠不知道反省言語尖刻，反而自哀自怨地嘆息：『到如今，我才知道人家對我懷恨在心，我錯就錯在不該讀南華經，比他懂得多。』

同時，因爲令狐綯盡量推拔同姓的人，許多姓胡的人也來冒充；溫庭筠忍不住快人快語一針見血諷刺道：『自從元老登庸後，天下諸胡也帶令。』

令狐綯再也受不了溫庭筠，向皇帝上了一個奏章，說此人乃『有才無行』，把他趕了出去。

過了不久，溫庭筠的目中無人又惹了禍。

有一次，唐宣宗微服出巡，與溫庭筠巧遇傳舍招待所之中。

溫庭筠一向傲慢，見前面走來一人，從未見過，便粗聲粗氣地問：

『喂，你莫非是司馬長史之類的小官？』

『不是。』唐宣宗皺了一下眉頭。

『嗯，那準是文參簿尉之類的。』

『也不是。』

唐宣宗身著便服，不便發作，心裏可是不痛快極了，從此對溫庭筠印象惡劣透頂。溫庭筠不知反省，竟然上書千言，為自己放蕩辯護，其結果可想而知。

因為他擅長描寫女人的姿態與愛情，又喜歡用『金』『玉』，所以有人諷刺，溫庭筠的詞讀多了，好像與一個渾身珠光寶氣的妓女並坐在一塊。話雖如此，溫庭筠若是去掉濃粧，以素淡的顏色出現，那種高遠的意境、細緻的表情、婉約的韻味，實在是嫵媚。

譬如這首〈夢江南〉：

『梳洗罷，獨倚望江樓，過盡千帆皆不是，斜暉脈脈水悠悠，腸斷白蘋洲。』

這是描寫一個女子刻意打扮以後，一個人倚在江樓。眼看著一艘又一艘帆船過去，每一艘都帶來希望，更帶來失望。一個人孤孤單單從早盼到傍晚，脈脈的斜陽，悠悠的流水，陪伴她的只有一片荒冷的白蘋洲。

這首詞把婉轉含蓄的感情，隱藏在字裏行間。那一份低迴往復之意，現代人的歌詞那裏比得上？

閱讀心得

【第352篇】

皇帝爭奪戰。

在前面〈唐昭宗與劉季述〉之中，我們講到，唐昭宗被宦官劉季述等反鎖在少陽宮之中，用鎔鐵把鎖封死，食物一概由牆角挖一個狗洞送進去。冬天裏冷風惻惻，嬪妃宮女沒有攜帶禦寒的衣服，凍得哀哀啼哭……

左神策軍使孫德昭對劉季述之殘忍極爲憤慨，與崔胤等人在天復元年正月發動兵變攻擊劉季述，破少陽院門，大聲高呼『逆賊已誅，請陛下出來慰勞將士。』唐昭宗被劉季述嚇破膽，不敢相信，惟恐一出去，劉季述又要甩鞭子。何皇后高聲回話：『果眞如此，我要看看右軍中尉王仲先的腦袋。』

孫德昭把王仲先的首級獻上，唐昭宗與皇后等人方才敢出少陽宮門。百官稱賀，劉季述已爲亂棍打死。

崔胤請求唐昭宗把宦官殺死，改由大臣們掌管宮內諸司事。可是說來也奇怪，唐昭宗剛剛被劉季述整得死去活來，又馬上任命宦官韓全誨爲左軍中尉。這可能是因爲宦官朝夕不離皇帝左右，比較有親切感，不像大臣，只有上朝時才能晉見天子。使得懦弱又貪圖享受的皇帝，容易受宦官的宰制。

這個時候，唐朝的中央軍力薄弱，韓全誨爲鞏固力量，勾結鳳翔節度

使李茂貞。同樣，宰相崔胤見唐昭宗依舊信任宦官，恐怕終究還是要被宦官控制一切，也祕密與東方的宣武節度使朱全忠相聯絡。

於是，朱全忠想把唐昭宗挾持到洛陽，李茂貞也有意把唐昭宗騙到鳳翔，打的都是『挾天子以令諸侯』的主意。

崔胤寫了一封信給朱全忠，稱有皇帝密詔命令朱全忠率兵迎接車駕。宦官韓全誨聽到這個消息，大驚失色，自己暗想；萬一唐昭宗被朱全忠搶走，他們宦官這一派可沒有戲好唱了。於是，先發制人，派了一批軍隊，飛揚跋扈地來到殿上。

韓全誨對唐昭宗說：『朱全忠以大兵進逼京師，想劫天子前往洛陽，圖謀不軌，臣等請奉陛下前往鳳翔，收兵抵抗之。』

唐昭宗沒有興趣逃到鳳翔去，不發一言，拿著劍登上乞巧樓。韓全誨可不輕易放過唐昭宗，跟著唐昭宗後頭，逼著他下樓。

唐昭宗才走到壽春殿，韓全誨已經派人在天子及后妃所居之宮殿放火了，逼著唐昭宗不能不上路。

這天剛好是冬至，沒有吃湯圓，沒有一點點過節的氣氛。唐昭宗一個人在思政殿，一腳蹺起，一腳踏在欄杆上面，難過萬分。正如同他偷偷留了一封給宰相崔胤的信中所說：『我爲宗社皇室大計，勢須西行，卿等但東行，惆悵、惆悵。』

於是，這位惆悵的皇帝，萬般不情願地跨上馬鞍，一大羣嬪妃宮女，才自少陽宮放出來，想過幾天好日子，不料又被迫上路，一個一個哭得像淚人兒似的。一行人才出宮門，回頭一望，整個皇宮一片火海，忍不住哭得更兇了。

等到朱全忠抵達長安，唐昭宗已被架到了鳳翔，宰相崔胤等率領百官在長樂坡迎接。朱全忠馬不停蹄又趕到鳳翔，駐軍城外。

鳳翔節度使李茂貞已搶到昭宗，登上城門對朱全忠道：『天子來此地避災，並非臣下無禮，你聽了小人的騙才到這兒來！』

朱全忠也不甘示弱，扯著嗓子喊道：『韓全誨劫遷天子，我今天前來問罪，迎請陛下回宮。你既然沒有參與這件事，也就不必多說！』

兩人對罵不算數，要看看誰打得過才算本事。一連幾場戰役下來，李茂貞完全不是對手，只敢縮在城中不吭聲。

朱全忠一下子攻不進城，只有採取封鎖政策，讓李茂貞活活餓死。並採取心理戰，每天夜裏大聲鳴鼓角，聲勢浩大，把整個城震動得如地震一般翻來覆去，同時士兵們在城下高聲叫罵：『劫天子賊！』在城上的李茂貞軍隊就回罵：『奪天子賊！』

這年冬天颳大雪，城裏頭的東西全吃光了，凍死餓死的人不可勝計。有的人躺在床上，奄奄一息，還剩一口氣在，已有另外的人準備吃他的肉。市場上不再賣豬肉、羊肉，而是改賣人肉；狗肉比較香，一斤三百，人肉一斤只值一百。李茂貞也只有用狗肉爲材料，做食物給唐昭宗吃。唐昭宗及妃嬪們吃不飽，迫不得已把龍袍御衣及小皇子的衣服拿去賣，換一些食物來充飢。

皇帝的衣服也賣了，還吃不飽，不得不自備小磨，磨一些豆麥充飢。唐昭宗嘆著氣對李茂貞說：『我兄弟及侍從一天之中總要餓死幾個，凍死幾個。我們一天喝粥，一天吃湯餅，吃到現在也沒了，你們趕快和解吧……』

李茂貞孤城援絕，只有殺了韓全誨出門投降。唐昭宗見到朱全忠，熱淚盈眶，扶起跪在地上的朱全忠說：『宗廟社稷，賴卿再安，朕與宗族，賴卿再生。』並且解下玉帶送給朱全忠。

朱全忠迎唐昭宗回到長安，應崔胤之請，把宦官一口氣殺光，殺了八百多人。至此，宦官完全消滅。從唐玄宗以來，將近兩百年的宦官權勢與氣焰歸於煙消雲散，唐朝的國運也即將結束。我們中國人常說『承祖上餘蔭』，沒有比當皇帝更承祖上餘蔭、安享富貴者。看看唐昭宗之軟弱悲慘，再回想一下唐太宗之威風神氣，可見一個人沒有能力，你爸爸就是皇帝都沒有用！

閱讀心得

【第353篇】

朱全忠篡唐。

在〈皇帝爭奪戰〉一篇中，我們說到，宦官韓全誨勾結鳳翔節度使李茂貞，朝官崔胤勾結宣武節度使朱全忠，都想挾天子以令諸侯。唐昭宗被搶來搶去，最後朱全忠搶到了皇帝，把宦官殺個精光。

朱全忠是應崔胤之請，前來保駕。然而，崔胤看出朱全忠爲人跋扈，恐怕不利朝廷。朱全忠先發制人上了一個密表『崔胤專權亂國，離間君臣』，然後派親信把崔胤殺了。

當初朱全忠攻下邠州時，把靖難節度使李繼徽的妻子留下爲人質。李繼徽的妻子年輕貌美，朱全忠性好漁色，把她給強佔了。李繼徽回來，發現了，氣得怒髮衝冠。李繼徽剛好是李茂貞的養子，他氣咻咻地對養父說：『唐室將滅，父親你忍心坐視嗎？』

李茂貞被兒子說動了，遂相與聯兵侵逼京畿。朱全忠得到消息，急著請昭宗遷都洛陽，命令百官東行，文武百官個個都抱怨不已：『賊臣崔胤，召朱溫（朱全忠原名）來，傾覆社稷，害我等流離到這步田地。』

羣臣們罵歸罵，還是不能不一把眼淚、一把鼻涕哭哭啼啼地上路。當車駕到華州，人們夾道歡呼萬歲。唐昭宗自己想想好窩囊，忍不住哭了起來：『你們不要呼萬歲，朕今天不再是天子了。』又轉過頭來，對身邊的

侍臣說：『朕今日漂泊，不曉得將流落何處？』

昭宗旁邊的侍臣，沒有一個人能回答皇上的話，也不敢擡起頭來看昭宗；一個一個垂著頭，望著腳尖，心中有說不出的沈重。

二月間，車馬到了陝州，因爲洛陽宮室尚未修成，暫時先留在陝州。朱全忠來到了陝州，見到何皇后，何皇后悲泣地說：『從現在起，大家夫婦的命就在你手裏了。』大家指的是天子。

過了兩個月，洛陽宮室修好了，朱全忠催昭宗早日上路，昭宗說：『皇后生產不久，不宜遠行，請等到十月再東行。』朱全忠很生氣，認爲昭宗有意拖延，把昭宗身邊伺候擊毬的供奉、內園小兒兩百多人都殺個乾淨，然後再找了兩百多個大小身材差不多的，換上衣服來冒充。唐昭宗起初沒有注意到，等到發現被掉包，除了傷心也別無他法。

唐昭宗有一個兒子德王李裕十分優秀，朱全忠曾經見過一面，看到德王生得眉清目秀，而且年齡已不小了，心中十分厭惡。唐昭宗離開長安之後，日夜擔心德王會遭到不測，唐昭宗對朱全忠派來監視的蔣玄暉說過：『德王，朕之愛子，朱全忠爲什麼一定要把他殺掉呢？』說著，淚下如雨，用牙齒把手指咬破，鮮血不斷溢出。

蔣玄暉把這件事報告了朱全忠。朱全忠遂派遣蔣玄暉、朱友恭等一百多人半夜叩宮門，說是西討行營軍前有急奏，要當面稟告皇帝。

妃子裴貞一匆匆打開門，見到黑鴉鴉的軍隊，十分驚奇：『急奏，爲什麼要派這許多兵前來？』

蔣玄暉大聲問道：『至尊（皇帝）在那兒？』

一位李昭儀倚著宮殿的軒檻呼道：『寧可殺死我等，不要傷了大家。』

此時，唐昭宗正醉倒在床，夢中被驚醒，繞著柱子逃命，這當然是難逃一劫。朱全忠聽說順利完成任務，假裝大驚失色，趴在天子的棺木之前痛哭流涕。演完這場戲以後，立輝王李祚爲帝，是爲昭宣帝，年方十三歲。

心狠手辣的朱全忠把德王李裕等九個昭宗兒子找來，請他們在九曲池飲酒。喝了一半，把這九個兒子縊死，扔到池子中去。

昭宣帝年僅十三歲，還是一個毛孩子，什麼也不懂，一切操之在朱全忠之手。朱全忠是個草莽懶漢出身，在家鄉時很被鄉里看不起，因此心中對知書達禮的知識份子十分痛恨。如今大權在握，一口氣殺了裴樞、獨孤損等三十多位名重士林的讀書人，而且，把他們的屍體一塊投入河中餵魚。

朱全忠身邊有個叫李振的，屢次投考進士不第，心懷怨恨，酸葡萄心理十分強烈。他對朱全忠說：『這些讀書人常常自引爲清高，認爲自己是清流，我們應該把他們扔到黃河中去，把清流變爲濁流。』朱全忠知道自己所作所爲，一定不合讀書人的心意，所以十分贊成李振的做法，含笑答應。當時的人稱李振爲鴟梟（一種不祥之鳥），李振見到朝中士大夫都是頤指氣使，旁若無人。

有一天，朱全忠與僚佐及遊客坐在一棵大柳樹之下，朱全忠一個人在自言自語：『這柳木應拿來作車轂。』

柳樹條兒細，怎能當車轂？沒人應朱全忠的腔，後來又怕朱全忠不高興，大夥兒勉強應了一句：『對，應該用來製車轂。』

一聽這話，朱全忠勃然大怒，厲聲道：『你們看看，這些沒有用的書生就喜歡順著旁人的口捉弄人，車轂要用夾榆，怎能用柳木呢？』於是把左右數十人殺了。

不久朱全忠逼著昭宣帝讓位，自己登上皇位，改名爲朱晃，御金祥殿，接受百官朝賀，改國號爲大梁。以汴梁（今河南開封）爲東都，洛陽爲西都，是爲後梁太祖。唐昭宣帝被殺，謚爲哀帝。五代開始，唐朝滅亡，唐朝歷二十一帝，二八九年。

閱讀心得

【第354篇】

李存勗處變不驚。

朱全忠掌握大權之後，派人弒了唐昭宗，另立唐哀帝，接著又逼哀帝讓位，唐朝滅亡。朱全忠自己做皇帝，改國號為梁，就是梁太祖，五代開始。

朱溫登上天子寶座，最為生氣的人就是李克用。在前面〈李克用與朱全忠結怨〉之中，我們曾經說過，朱全忠畏懼李克用能征善戰，曾經擺下鴻門宴，計畫把李克用灌醉之後一刀解決。若不是李克用溜得快，早就一命送上西天，因此兩人結下了不共戴天之仇。

朱全忠雖然登上帝位，不過他這個帝國的疆土其實小得可憐。李克用仍然是朱全忠一大勁敵，大家都很害怕這個沙陀部族的獨眼龍。

說到李克用的獨眼龍，這其中還有一段有趣的故事。李克用聲威大振之後，淮南節度使楊行密（後來建立五代十國中的吳國）對李克用十分好奇。可惜那個時代沒有照片，始終不曉得李克用長得什麼模樣。

於是，楊行密派來一個畫工，假扮為商人到河東去偷偷畫像。畫工還沒有到達，李克用的手下已經知道這個消息，因此畫工一到，立刻束手就擒。

李克用起初非常生氣，後來又笑了起來，他促狹地對左右親信說：『我

少了一隻眼睛，看他怎麼畫。』

接著，這個倒楣的畫工被喚到李克用面前，李克用一手拍著膝蓋怒氣沖天的說：『淮南節度使派你來畫我，想來你是畫工之中最好的，你如果畫我畫得不像十分之一，那麼此處就是你喪生之所。』

旁邊的人都在爲畫工擔心，因爲李克用脾氣很壞，身旁的人稍微犯一點小過失，必置人於死地。畫工畫得不像，李克用要畫工死，要是畫工把李克用一隻眼睛瞎了的樣子據實畫了出來，還想活命嗎？

等到畫工畫好了呈獻上去，沒想到李克用竟然大爲開心，嚷著要厚賜金帛，這是怎麼一回事？大家都湊上去一看究竟——原來畫工筆下的李克用張著手臂在彎弓射箭，一隻眼睛瞇了起來，好像在瞄準方向。這樣巧妙地掩飾了獨眼龍，難怪李克用大爲開懷！

李克用在朱全忠稱帝一年就死了，死以前他立兒子李存勗爲嗣，並且對他的弟弟振武節度使李克寧說：『亞子志氣遠大，必能成吾大事，你們好好教導教導。』

亞子是李存勗的小名，這是因爲以前李克用曾帶著李存勗去見唐昭宗。唐昭宗見他虎背熊腰，體貌奇特，忍不住拍拍他的背說：『你這個兒子將來可爲國棟樑，不要忘記忠孝傳家啊！』由於唐昭宗說過一句『此子可亞其父』，所以小名爲亞子。

這個亞子還真有乃父之風，十三歲開始學春秋，習騎射，每回打仗，總是功居第一。在他嗣位這一年，年僅二十四歲。

當時振武節度使李克寧，也就是李存勗的叔叔掌握兵權，威風赫赫。軍隊中以李存勗年輕，嘴上無毛、辦事不牢，在私下竊竊談論，人情洶洶，不以為然。李存勗有點兒害怕，想把王位讓給叔父李克寧。李克寧不肯：『有先王之命，誰敢違背？』

李存勗初當大任，心中惴惴然，又想念父親，一個人躲在屋中哭了又哭。將吏們要見李存勗，李存勗還在哭個不停，有一位親信張承業進來勸李存勗：『大孝在不墜基業，多哭有什麼用？保家安親，才是大孝。』李存勗這才出來指揮大局。

然而局面還是異常困難，在平劇及地方戲曲之中有『十三太保』，講的是李克用十三個養子。十三太保雖無其事，李克用有許多養子倒是真的，而且李克用對他們也確實是寵愛如親生兒子。

這會兒，二十四歲的李存勗登上王位，養子們個個心中怏怏不服氣。或者推說自己有病，或者見到新王不肯下拜；加上李克寧權位重，許多人都倒向這一邊。

其中有一位養子李存顥就對李克寧說：『兄終弟及，自古有之，你是叔父，還要向姪兒下拜，於理安乎？』

李克寧回答：『我家世世代代以慈孝聞名天下，先王之業已有所歸，我復何求。你再亂講話，當心我先斬了你。』

李克寧話說得很夠意思，他的妻子孟氏可不這麼認爲。孟氏向來以剛烈兇悍爲名，幾個養子的太太一再遊說之下，孟氏給說動了。李克寧一向怕老婆，膽子很小，又朝朝夕夕聽人們勸說，心意也動了。

在這種情況之下，李存勗想要躲過至親相殘也躲不過，只好把李克寧捉來。他流著眼淚對叔父說：『當初我要把軍符讓給你，叔父你不肯要，如今大事已定，叔父你又何必如此！』不得已把叔父殺了。

李存勗繼父位，爲河東節度使，襲爵晉王之後。他果然不負父望，與後梁展開生死決戰。他對身旁的人說：『汴人（指朱全忠，因爲朱全忠的根據地在汴州）以爲我有喪事，又欺負我年少嗣位，未習戎事，必然輕敵，我不如出其不意攻之。』

這個亞子果然不負父親期望，他大破後梁軍隊於夾寨。後梁太祖朱全忠嘆息道：『生子當如亞子，克用可謂不死矣。至於說我的兒子，那簡直是豬是狗。』

記得本書前面談到西漢初年，我們說過，漢高祖死後，漢惠帝軟弱，呂后掌政。匈奴冒頓單于欺負國有喪事，寫了一封國書羞辱呂后，說要娶呂后爲妻，呂后不敢發怒，只好推說自己老醜。同樣的，李存勗也是喪父不久，因爲處變不驚，有膽識有辦法，反而大獲全勝。可見處變不驚不是遇到變故呆若木雞，而是不驚恐——愼謀能斷才能化險爲夷。

閱讀心得

閱讀心得

歷代・西元對照表

朝　　代	起迄時間
五帝	西元前2698年～西元前2184年
夏	西元前2183年～西元前1752年
商	西元前1751年～西元前1123年
西周	西元前1122年～西元前 771年
春秋戰國(東周)	西元前 770年～西元前 222年
秦	西元前 221年～西元前 207年
西漢	西元前 206年～西元 8年
新	西元 9年～西元 24年
東漢	西元 25年～西元 219年
魏(三國)	西元 220年～西元 264元
晉	西元 265年～西元 419年
南北朝	西元 420年～西元 588年
隋	西元 589年～西元 617年
唐	西元 618年～西元 906年
五代	西元 907年～西元 959年
北宋	西元 960年～西元 1126年
南宋	西元 1127年～西元 1276年
元	西元 1277年～西元 1367年
明	西元 1368年～西元 1643年
清	西元 1644年～西元 1911年
中華民國	西元 1912年

國家圖書館出版品預行編目資料

全新吳姐姐講歷史故事. 15. 唐代－五代/吳涵碧著. --初版.--臺北市；皇冠，1995〔民84〕
面；公分（皇冠叢書；第2481種）
ISBN 978-957-33-1225-3 （平裝）
1. 中國歷史

610.9 84006928

皇冠叢書第2481種
第十五集【唐代－五代】
全新吳姐姐講歷史故事〔注音本〕

作　者—吳涵碧
繪　圖—劉建志
發 行 人—平雲
出版發行—皇冠文化出版有限公司
台北市敦化北路120巷50號
電話◎02-27168888
郵撥帳號◎15261516號
皇冠出版社(香港)有限公司
香港上環文咸東街50號寶恒商業中心
23樓2301-3室
電話◎2529-1778　傳真◎2527-0904
印　務—林佳燕
校　對—皇冠校對組
著作完成日期—1992年01月01日
香港發行日期—1995年09月25日
初版一刷日期—1995年10月01日
初版二十八刷日期—2019年04月
法律顧問—王惠光律師

讀者服務傳真專線◎02-27150507
電腦編號◎350015
ISBN◎978-957-33-1225-3
Printed in Taiwan
本書定價◎新台幣150元/港幣45元